LE ROBERT
& NATHAN

Vocabulaire

NATHAN

Ont contribué à cet ouvrage :

Sylvie BLANCHARD

Dominique KORACH

Jean PENCREAC'H

Mèriem VARONE

~

© **Éditions Nathan 1995**, 9 rue Méchain - 75014 PARIS

ISBN 2.09.181037-1

AVANT-PROPOS

Savoir choisir ses mots, trouver le terme juste qui reflète bien sa pensée, suppose que l'on entretienne avec les mots de notre langue un rapport de familiarité mais aussi que l'on soit capable d'en analyser la forme, le sens et l'histoire.
C'est à ce double objectif que répond cet ouvrage en mettant les mots de notre langue à la portée de tous.

On y découvrira avec intérêt, étonnement et amusement l'origine de certaines expressions *(mettre à l'index, jouer les Cassandre, être en odeur de sainteté...)*, ou encore les sens multiples de certains mots.

On se familiarisera avec les principes de la construction et de l'histoire des mots.

On pourra recourir à des listes utiles (figurant dans les pages sur fond de couleur) qui permettront d'éviter des erreurs, des approximations : distinguer *médire* de *calomnier*, vérifier le sens de *ingambe*, ne pas confondre *acception* et *acceptation*, connaître les multiples synonymes de *donner*, etc.

On pourra identifier et comprendre des phénomènes lexicaux : *l'étymologie, la synonymie, les champs sémantiques, le zeugma...*

En fin d'ouvrage, un **index des notions** traitées et un **index des mots et expressions cités** permettront de trouver rapidement la réponse à une difficulté ponctuelle.

PARCOURS D'UTILISATION _____

*Pour savoir choisir le mot qui convient mais aussi
pour comprendre pourquoi et comment l'employer*

1. Connaître la forme des mots

Par exemple, comment est formé le mot dromadaire ?

Consultez l'INDEX DES MOTS ET EXPRESSIONS CITÉS

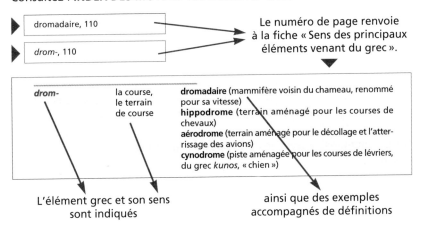

▶ dromadaire, 110

▶ drom-, 110

Le numéro de page renvoie
à la fiche « Sens des principaux
éléments venant du grec ».

drom-　　la course,
　　　　　　le terrain
　　　　　　de course

dromadaire (mammifère voisin du chameau, renommé
pour sa vitesse)
hippodrome (terrain aménagé pour les courses de
chevaux)
aérodrome (terrain aménagé pour le décollage et l'atter-
rissage des avions)
cynodrome (piste aménagée pour les courses de lévriers,
du grec *kunos*, « chien »)

L'élément grec et son sens
sont indiqués

ainsi que des exemples
accompagnés de définitions

2. Employer le mot juste

Comment choisir sans se tromper entre circonscrire et circonvenir ?

Consultez l'INDEX DES MOTS ET EXPRESSIONS CITÉS

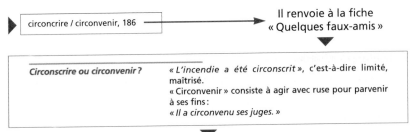

▶ circoncrire / circonvenir, 186

Il renvoie à la fiche
« Quelques faux-amis »

Circonscrire ou circonvenir ?

« *L'incendie a été circonscrit* », c'est-à-dire limité,
maîtrisé.
« *Circonvenir* » consiste à agir avec ruse pour parvenir
à ses fins :
« *Il a circonvenu ses juges.* »

Des définitions sont données ainsi que des exemples d'emploi.

3. Connaître l'origine d'une expression

Pourquoi dit-on avoir maille à partir ?

Consultez l'INDEX DES MOTS ET EXPRESSIONS CITÉS

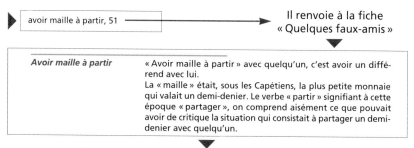

▶ avoir maille à partir, 51 ⟶ Il renvoie à la fiche
« Quelques faux-amis »

▼

Avoir maille à partir	« Avoir maille à partir » avec quelqu'un, c'est avoir un différend avec lui. La « maille » était, sous les Capétiens, la plus petite monnaie qui valait un demi-denier. Le verbe « partir » signifiant à cette époque « partager », on comprend aisément ce que pouvait avoir de critique la situation qui consistait à partager un demi-denier avec quelqu'un.

▼

La définition est rappelée, ainsi que l'origine de l'expression.

4. Comprendre une notion

Qu'est-ce qu'un oxymore ?

Consultez l'INDEX DES NOTIONS ▶ oxymore, 205
ou
ou Consultez le SOMMAIRE ▶ • L'oxymore 205

Le numéro de page renvoie à une définition accompagnée d'exemples.

▼

L'OXYMORE

Le mot « oxymore » vient du grec *oxumôron* qui signifie « fin-sot », c'est-à-dire « fin sous une apparence de niaiserie ».

L'oxymore (ou alliance de mots) consiste à juxtaposer deux mots de sens contraire, qu'on n'a donc pas l'habitude de trouver accolés.
  Un illustre inconnu, un silence éloquent, se hâter lentement, sont des oxymores.
Ou encore :
  *Cette **obscure clarté** qui tombe des étoiles.* (CORNEILLE, *Le Cid*)
  *Entrez, ne plaignez pas ma **riche pauvreté**.* (LAMARTINE)

SOMMAIRE

HISTOIRE ET FORMATION DES MOTS

L' ÉTYMOLOGIE

« Une langue [...] au fond de laquelle on distinguait nettement
toutes ces magnifiques étymologies grecques, latines ou espagnoles,
comme les perles et coraux sous l'eau d'une mer limpide. »
(Victor HUGO, *Littérature et philosophie mêlées*)

L'étymologie est l'étude de l'origine des mots, de leur filiation.
Rechercher l'étymologie d'un mot, c'est reconstituer son ascendance jusqu'à son état le plus anciennement accessible :
« Aube » vient du latin *alba* signifiant « blanc ».

Le mot « étymologie » vient du grec *etumos*, « vrai » et *logia*, « théorie » et signifie « science de la vérité ».

■ Les mots sont vivants

Ils naissent, évoluent, disparaissent, réapparaissent parfois sous une forme différente. Néanmoins, ils conservent toujours en eux-mêmes la mémoire de leur identité première.

L'étude de l'étymologie d'un mot consiste à découvrir :
– de quel autre mot il est issu ; c'est ce qu'on appelle son **étymon** ;
– dans quelles circonstances il est apparu et à quelle époque ;
– les évolutions de sens ou de forme qu'il a subies au fil du temps.

Comment trouver l'étymologie d'un mot ?

■ L'étymologie d'un mot nous est fournie :
– de façon succincte, par le dictionnaire de langue ;
– de façon détaillée, notamment en ce qui concerne l'évolution du sens, par le dictionnaire étymologique.

Prenons le mot « assiette » et comparons les indications données par les deux dictionnaires :

■ dans le dictionnaire de langue :
ASSIETTE n.f. – *assiete* 1260 ; lat. pop. °*assedita*, de °*assedere* → asseoir.
(Extrait du *Nouveau Petit Robert*, 1, 1994)

■ dans le dictionnaire étymologique :
ASSIETTE XIIIᵉ s. « base sur laquelle porte un droit » (subsiste dans *assiette d'une rente, d'un impôt*) ; XIVᵉ s. « fait de placer les convives », « service à table », d'où XVIᵉ s. « pièce de vaisselle » ; XVᵉ s. « emplacement, situation » ; XVIᵉ s. « équilibre » : autre forme de part. passé fém. substantivé du lat. vulg. *assedita.
(Extrait du *Dictionnaire étymologique du français*, Le Robert 1994)

Rechercher l'étymologie d'un mot conduit à remonter aux sources, aux origines du mot.

Origines et évolution de la langue

Les mots français se répartissent en deux catégories :

■ Les mots issus d'un fonds primitif, constitué pour l'essentiel du latin transformé (latin vulgaire), du celtique et du germanique.
C'est ce que l'on pourrait appeler en quelque sorte le vocabulaire hérité.

■ Les mots empruntés – à partir du Moyen Âge – au latin, au grec ou à d'autres langues, en fonction des besoins ou de l'histoire de notre pays.

Le fonds primitif

■ **C'est au gré des invasions, des migrations, des échanges commerciaux que s'est constitué le fonds primitif de la langue française.**
Le français a pour principales origines :

▬ **Le celtique,** parlé par les Gaulois.
Le fonds gaulois est le plus ancien, mais se réduit à quelques dizaines de mots touchant essentiellement au domaine de l'agriculture comme :
alouette, bouleau, charrue, chêne, glaner, sillon, soc...

▬ **Le germanique,** parlé par les Francs.
Il s'agit surtout de termes relatifs à la guerre ou aux institutions comme :
franc, gagner, gars, guerre, honte, jardin, riche...

▬ **Le latin,** parlé en Gaule à la fin de l'Empire romain.
C'est de loin l'apport le plus important : 80 % du vocabulaire français est d'origine latine. Il ne s'agit pas là du latin classique, mais d'un latin populaire, celui des paysans, des artisans et des soldats.

■ **Ces mots ont vu, au cours des siècles, leur graphie et leur prononciation se modifier.**
Génération après génération, ils se sont spontanément transformés dans la bouche des populations qui les avaient adoptés.
C'est pourquoi on les appelle **des mots de formation populaire.**

Ils sont presque toujours plus courts que le mot d'origine et lui ressemblent parfois très peu :

securum a donné *sûr*
pavorem a donné *peur*
mansionaticum a donné *ménage*
caballus a donné *cheval*

Les emprunts au latin et au grec

Aux éléments de base du fonds primitif sont venus s'ajouter, au cours des siècles, des apports d'origine variée. Il s'agit pour l'essentiel de mots empruntés au latin et, pour une moindre part, au grec.

■ **Pendant tout le Moyen Âge et jusqu'au xvie siècle, les savants et les lettrés ont écrit en latin.**
Lorsqu'ils ont voulu écrire en français, il est arrivé un moment où le lexique de base ne parvenait plus à couvrir les besoins liés à l'évolution de la civilisation et notamment des sciences et des techniques. Il fallait enrichir le lexique.
Les lettrés sont donc allés puiser directement dans le latin dont la science s'était servie et ont tout simplement reproduit la forme latine du mot en se contentant de la franciser. C'est pourquoi on appelle ces mots **des mots de formation savante** :

germinatio a donné *germination*
proletarius a donné *prolétaire*
fragilis a donné *fragile*
epigramma a donné *épigramme*

La grande majorité des mots de notre vocabulaire résulte de ce procédé.
D'ailleurs, le français moderne continue à créer la plus grande partie de son vocabulaire scientifique sur des radicaux latins et grecs :

hydrophobie (formé au xive siècle), *hydrogène* (formé au xviiie siècle), *hydrophile, hydrothérapie* (formés au xixe siècle), *hydrocution* (formé au xxe siècle).

■ **Dans de nombreux cas, un mot de formation savante, qui reproduit la forme latine, vient doubler un mot primitif de même origine, mais dont la forme s'est modifiée.**
C'est ce qu'on appelle **des doublets.**
Ils ont la même étymologie, mais n'ont plus le même sens, ni la même forme :

hospitale a donné

hôtel (formation populaire)
hôpital (formation savante)

Il en est de même pour :

aigre / âcre	*entier / intègre*	*prêcheur / prédicateur*
avoué / avocat	*étroit / strict*	*raide / rigide*
chenal / canal	*frêle / fragile*	*rayer / radier*
déchéance / décadence	*loyal / légal*	*serment / sacrement*
écouter / ausculter	*parole / parabole*	*terroir / territoire...*
enclore / inclure	*pitié / piété*	

■ **Quelques mots latins d'emprunt récent sont passés tels quels en français :**
album, agenda, ad hoc, lavabo, maximum, minimum, memento, omnibus...
(➡ « Les expressions latines du français », page 15.)

■ **C'est surtout au XVIe siècle, sous l'influence de l'humanisme, que la vague d'emprunts au latin s'accrut d'un mouvement d'emprunts parallèles au grec, langue des médecins, des philosophes, mais aussi des poètes.**
La plupart du temps, ces mots grecs avaient dans un premier temps été « latinisés », puis francisés. Ont été empruntés au grec des mots comme :
économie, de *oikos*, maison, et *nemein*, administrer, c'est-à-dire « art de bien administrer la maison » ;
politique, de *polis*, cité, d'où *politikos*, « qui concerne le citoyen et l'État » ;
mythe, de *muthos*, parole, récit fabuleux.
(Concernant les emprunts à la mythologie grecque, ➡ « En souvenir des dieux et des héros » page 31 et « La mythologie au quotidien » page 34.)

Les emprunts aux autres langues

Étymologie et histoire sont étroitement liées.
L'apparition de tel ou tel mot dans la langue, l'emprunt à telle ou telle langue sont autant de témoignages sur les relations qui ont uni, pour le meilleur ou pour le pire, notre pays à d'autres peuples : invasions, guerres, échanges commerciaux, influence artistique, domination économique...

■ **Les emprunts aux autres langues sont multiples.**
Si nous sommes conscients de l'introduction massive de mots anglais dans notre langue en cette fin de vingtième siècle, sans doute ne reconnaîtrions-nous pas l'origine arabe, italienne ou espagnole de tel ou tel mot entré dans notre vocabulaire.

On peut en répertorier un certain nombre :

▬ **d'origine arabe** (environ 300 mots, empruntés surtout au Moyen Âge) :
alchimie, alcool, algèbre, ambre, amiral, chiffre, gazelle, gourbi, hasard, matelas, nouba, sirop, zénith, zéro, zouave...

- **d'origine italienne** (environ 1 000 mots, empruntés surtout au XVIe puis au XVIIIe siècle) :
  balcon, banque, bouffon, boussole, brigade, canon, concerto, confetti, cortège, courtisan, crédit, dilettante, escadron, faillite, fresque, graffiti, incognito, opéra, page, pittoresque, scénario, soldat, solfège, ténor...

- **d'origine allemande** (environ 200 mots, empruntés surtout au XVIe et au XVIIe siècle) :
  accordéon, bière, bivouac, blocus, chenapan, choucroute, cible, ersatz, espiègle, képi, obus, sabre, trinquer, valse, vasistas...

- **d'origine espagnole** (environ 300 mots, empruntés surtout au XVIe et au XVIIe siècle) :
  abricot, adjudant, banane, bizarre, casque, cédille, chocolat, cigare, guérilla, hâbleur, maïs, matamore, moustique, romance, sieste...

- **d'origine russe** (empruntés surtout au XIXe siècle) :
  boyard, cosaque, isba, mammouth, moujik, samovar, steppe...

- **d'origine anglaise ou américaine** (empruntés surtout au XIXe et au XXe siècle) :
  barman, bifteck, box, budget, car, casting, comité, football, forecast, grog, hardware, hold-up, look, marketing, match, punch, rail, raout, record, rosbif, sandwich, sketch, software, stock, string, toast, tunnel, zoom...

(Concernant les emprunts à l'anglais, ➡ « Des mots en suspens », page 45.)

- Il ne faut pas oublier les apports des parlers régionaux ou des langues comme le breton (*baragouin, biniou, dolmen...*), le provençal (*cabas, cigale...*) ou encore ceux des divers argots (*boniment, coquille, pion...*)

- **Tous les mots d'emprunt n'ont pas subi les mêmes transformations avec le temps.**

- Certains ont été francisés et ont adapté leur prononciation et leur graphie au français :
  riding-coat s'est ainsi transformé en *redingote*, *packet-boat* en *paquebot*, *bull-dog* en *bouledogue*, *schnapphahn* en *chenapan...*

- D'autres, d'importation plus récente, ont gardé leur graphie et parfois même leur prononciation d'origine :
  break, gnocchi, hooligan, putsch, speaker, week-end...

- Certains mots empruntés à l'anglais avaient été exportés de France vers l'Angleterre au Moyen Âge. Ils nous sont revenus quelques siècles plus tard sous une autre forme et souvent un autre sens : *étiquette* a donné *ticket* en anglais, forme sous laquelle il nous est revenu avec le sens de « billet » ; de même, *tonnelle* nous est revenu sous la forme *tunnel*, et *entrevue* sous la forme *interview...*

- Enfin, on a formé des mots en français sur des emprunts :
  volleyeur de *volley*, *camaraderie* de *camarade* (mot emprunté à l'espagnol)...

LES EXPRESSIONS
LATINES DU FRANÇAIS

Certains mots ou expressions du latin sont passés sans aucune modification en français.

■ EXPRESSIONS, PROVERBES ET ADAGES

Ad augusta per angusta
«*Vers des voies augustes par des chemins étroits*»
Cette expression, que l'on doit à Victor Hugo dans *Hernani*, sert de mot de passe aux conjurés venus perpétrer l'assassinat de Don Carlos au pied même du tombeau de Charlemagne, après avoir traversé de longs couloirs étroits.
Cela signifie que l'on ne parvient au succès qu'au prix de grandes difficultés.

Age quod agis
«*Fais ce que tu fais*»
Conseil que l'on donne à quelqu'un qui tendrait à se laisser distraire dans son occupation, pour lui signifier qu'il faut s'en tenir à ce que l'on fait et ne pas vouloir faire autre chose en même temps.

Alea jacta est
«*Le sort en est jeté*»
Cette phrase aurait été prononcée par César alors qu'il s'apprêtait à franchir le Rubicon, se mettant du même coup en guerre contre la République.
Elle sert aujourd'hui à exprimer que l'on s'en remet finalement au sort après avoir longtemps hésité dans une prise de décision difficile.

Alma mater
«*La mère nourricière*»
Les poètes latins désignaient par cette expression la patrie.
De nos jours, on l'emploie parfois pour désigner l'Université.

Alter ego
«*Un autre moi-même*»
Personne de confiance qu'une autorité ou un particulier charge d'agir en son nom.
«C'est mon alter ego» signifie: «c'est mon ami intime, mon ami le plus cher».

Asinus asinum fricat
«*L'âne frotte l'âne*»
Les ânes ont pour habitude de se frotter l'un à l'autre pour calmer leurs démangeaisons.
D'où ce proverbe latin, adapté en français sous la forme «l'âne frotte l'âne», qui dénonce les sots qui s'adressent mutuellement des éloges outrés.

Audentes fortuna juvat

« *La fortune sourit aux audacieux* »
Ce vers de Virgile, dans *L'Énéide*, est presque toujours repris sous la forme *audaces fortuna juvat*, pour marquer le succès d'une entreprise qui semblait risquée ou pour se donner du courage au moment de tenter une action audacieuse.

Aut Caesar, aut nihil

« *Ou empereur, ou rien* »
Cette formule volontaire, attribuée à César Borgia, ne devait pas être inconnue du jeune Victor Hugo qui aurait écrit dans son journal de jeunesse : « Je veux être Chateaubriand ou rien ». Elle pourrait servir de devise à tous les ambitieux.

Ave, Caesar, morituri te salutant

« *Salut, Empereur, ceux qui vont mourir te saluent* »
Ces hommes destinés à mourir sont les gladiateurs romains livrés aux fauves pour les jeux du cirque et qui, avant d'entreprendre leur mortel combat, saluaient l'empereur en ces termes.

Beati pauperes spiritu

« *Heureux les pauvres d'esprit* »
Cette expression désignait autrefois ceux qui étaient parvenus à se détacher des biens matériels et qui trouvaient leur richesse dans les biens de l'esprit.
Par glissement de sens, elle est aujourd'hui employée ironiquement pour désigner ceux qui ont réussi malgré des capacités limitées.

Carpe diem

« *Cueille le jour* »
Empruntés à une ode d'Horace, ces mots nous rappellent que la vie est courte et qu'il faut en jouir sans délai. Les Épicuriens, qui prônent la recherche du plaisir, en ont fait leur devise, tout comme Ronsard dans ce vers d'un sonnet dédié à Hélène : *Cueillez dès aujourd'hui les roses de la vie.*

Casus belli

« *Cas de guerre* »
Cette expression signifie qu'on se trouve en présence d'actes, d'agissements, susceptibles d'entraîner une déclaration de guerre de la part d'un gouvernement.

Corpus delicti

« *Corps du délit* »
Cette expression désigne aussi bien l'acte qui constitue un délit que l'objet à l'origine de ce délit.

Deus ex machina

« *Un dieu (descendant) au moyen d'une machine* »
Cette expression désignait dans le théâtre romain un dieu descendu sur scène par un système de machinerie pour permettre le dénouement de la pièce.
On continue à l'employer pour désigner une personne dont l'intervention inattendue vient mettre un terme à une situation qui semblait inextricable.

Dura lex, sed lex	« *La loi est dure, mais c'est la loi* » Maxime que l'on prononce pour signifier que, même si une loi, un règlement, paraissent pénibles, il faut s'y soumettre.
Fluctuat nec mergitur	« *Il est battu par les flots, mais ne sombre pas* » Et non pas, comme on le dit souvent, « il flotte, mais ne coule pas », ce qui n'aurait aucun sens. Cette inscription figure sous la représentation du vaisseau qui sert d'emblème à la ville de Paris.
Honoris causa	« *Pour l'honneur* » Cette expression qui signifie « à titre honorifique » est surtout employée sous la forme *docteur honoris causa*, titre purement honorifique que l'on décerne, notamment dans les universités, à une personnalité qui n'offre pas les titres et les compétences requises en temps normal pour accéder à une telle charge.
In vino veritas	« *La vérité (est) dans le vin* » Cette expression fait référence aux propos indiscrets, aux confidences qu'on laisse échapper sous l'emprise de l'alcool.
Mens sana in corpore sano	« *Un esprit sain dans un corps sain* » C'est par ces mots que Juvénal invitait les hommes à invoquer les dieux pour qu'ils leur procurent la santé du corps, mais aussi de l'esprit. Le sens a évolué, se chargeant d'une relation de cause à effet : c'est parce que l'on entretient son corps que l'on peut prétendre à un esprit sain.
Missi dominici	« *Envoyés du maître* » Ce terme désignait sous Charlemagne les inspecteurs royaux qui visitaient les provinces deux par deux pour surveiller les autorités locales. Cette expression désigne en général les émissaires d'une autorité quelconque.
Modus operandi	« *Manière d'opérer* » Un *modus operandi* est une manière de procéder, et plus particulièrement, dans le cas d'un criminel, tout ce qui caractérise sa manière d'opérer et qui permet souvent de le confondre.
Modus vivendi	« *Manière de vivre* » C'est l'accord auquel sont parvenues deux parties opposées dans un conflit. De manière générale, cette expression désigne un mode de vie.

Nec plus ultra	« *Pas au-delà* » Le *nec plus ultra*, c'est ce qu'il se fait de mieux, ce qu'il y a de mieux en la matière. La légende veut qu'il s'agisse là de l'inscription gravée par Hercule sur les monts Calpé et Abyla qu'il pensait être les bornes du monde et qu'il sépara pour joindre l'Océan à la Méditerranée.
Numerus clausus	« *Nombre fermé* » Cette expression faisait référence, à l'origine, à l'inscription à l'Université des étudiants juifs en Europe centrale. Elle désigne maintenant dans le cadre d'une inscription à un examen, à une formation, le nombre limité de personnes admises à s'inscrire.
O tempora ! o mores !	« *O temps ! O mœurs !* » Exclamation prononcée par Cicéron qui s'élève contre la perversité et la corruption des hommes de son temps.
Panem et circenses	« *Du pain et des jeux (du cirque)* » C'est par ces mots méprisants que Juvénal stigmatise les revendications uniquement matérielles du peuple romain à son époque. Cette expression s'emploie aujourd'hui de façon dépréciative pour critiquer la médiocrité des distractions offertes au public.
Persona grata	« *Personne bienvenue* » Désigne un diplomate agréé par le gouvernement auprès duquel il représente son pays et, de manière plus générale, toute personne bien accueillie dans un milieu particulier. On emploie dans le sens opposé : *persona non grata*.
Primum (primo) vivere, deinde philosophari	« *Vivre d'abord, philosopher ensuite* » Se livrer aux spéculations intellectuelles, aux joutes de l'esprit est louable à condition de ne pas perdre de vue les problèmes d'ordre matériel.
Qui bene amat, bene castigat	« *Qui aime bien, châtie bien* » Ce proverbe, inspiré des Saintes Écritures, illustre le fait que le châtiment n'a d'autre but que de corriger les défauts ou les vices de ceux qu'on aime.
Quod erat demonstrandum	« *Ce qu'il fallait démontrer* » C'est par cette formule, parfois humoristique, que l'on clôt une démonstration. On la trouve abrégée, dans un écrit, sous la forme Q.E.D., ou plus couramment C.Q.F.D. dans sa forme francisée.

Requiescat in pace ! (R.I.P.)	«*Qu'il repose en paix*» Ces paroles, que l'on trouve souvent gravées sur les monuments funéraires, sont proférées lors de l'office des morts ou chantées dans les messes de requiem.
Si vis pacem, para bellum	«*Si tu veux la paix, prépare la guerre*» Locution signifiant que le meilleur moyen de ne pas être attaqué est encore de se donner les moyens de se défendre.
Sol lucet omnibus	«*Le soleil luit pour tout le monde*» Maxime inspirée d'Ovide et signifiant que tout le monde a légitimement droit à sa part de bien-être sur cette terre.
Testis unus, testis nullus	«*Témoin unique, témoin nul*» Cet adage signifie, dans le domaine de la justice, que l'établissement de la vérité ne peut en aucun cas reposer sur le témoignage d'une seule personne.
Timeo Danaos et dona ferentes	«*Je crains les Grecs, même quand ils portent des présents*» Cela signifie qu'il faut toujours se méfier d'un ennemi, quelque aimable ou généreux qu'il paraisse.
Vade retro Satana(s) !	«*Retire-toi, Satan !*» C'est en ces termes que Jésus s'adressa à Satan qui le poussait à la tentation dans le désert. Dans la langue courante, on l'emploie pour repousser, de façon plaisante ou indignée, une tentation, une proposition plus ou moins honnête.
Vae victis !	«*Malheur aux vaincus !*» Tite-Live, dans son *Histoire romaine*, rapporte que lors du siège de Rome en 390 av. J.-C., les Gaulois acceptèrent de se retirer contre une forte rançon en or. Aux Romains qui se plaignaient de ce que leurs assiégeants avaient utilisé de faux poids pour la transaction, le chef gaulois Brennus rétorqua «Vae victis !» tout en jetant son épée dans la balance. Le vaincu est malheureusement toujours à la merci du vainqueur !
Veni, vidi, vici	«*Je suis venu, j'ai vu, j'ai vaincu*» C'est par ces mots que César annonça au sénat la victoire-éclair qu'il venait de remporter près de Zéla sur Pharnace, roi du Pont. Cette phrase s'emploie familièrement pour exprimer la facilité et la rapidité d'un succès quelconque.
Verba volant, scripta manent	«*Les paroles s'en vont, les écrits restent*» Méfiance ! C'est ce que cet adage nous enseigne.

Il est des circonstances où il est imprudent de laisser des preuves matérielles d'une opinion, d'un fait, etc. Dans ce cas, contentons-nous de dire, sans écrire. À l'inverse, il est parfois conseillé d'exiger une trace écrite d'une promesse.

Vox populi, vox dei

« *Voix du peuple, voix de Dieu* »
Adage suivant lequel on prend une décision, on établit la vérité d'un fait ou la justice d'une chose en fonction de l'opinion du plus grand nombre, de la masse.

Vulgum pecus

« *Le troupeau vulgaire* »
Par cette expression, on désigne de façon familière et péjorative le commun des mortels, la foule des obscurs et des ignorants.

ADVERBES ET LOCUTIONS ADVERBIALES

Ab absurdo

« *Par l'absurde* »
Un raisonnement *ab absurdo* consiste à prendre le contre-pied de ce que l'on veut démontrer.

Ab hoc et ab hac

« *De celui-ci et de celle-ci* »
À tort et à travers.
*Parler **ab hoc et ab hac.***

Ab initio

« *Depuis le début* »
Dès le début, depuis l'origine.

Ab intestat

« *Qui n'a pas testé* »
Sans testament :
*Il est mort **ab intestat.***

Ab irato

« *Par un mouvement de colère* »
Sous l'empire de la colère :
*Son testament a été fait **ab irato**.*

Ab origine

« *Depuis l'origine* »
Depuis l'origine.

Ab ovo

« *Depuis l'œuf* »
Depuis le commencement.

A contrario

« *Par la raison des contraires* »
Un raisonnement *a contrario* est un raisonnement qui, partant d'une opposition dans les hypothèses, conclut à une opposition dans les conséquences.

Ad absurdum	« *Jusqu'à l'absurde* » Jusqu'à l'absurde, jusqu'à l'absurdité.
Ad hoc	« *À cet effet* » Rapportée à une personne, la locution *ad hoc*, indique qu'il s'agit de quelqu'un de parfaitement qualifié : *C'est l'homme* **ad hoc**. S'agissant d'une chose, elle signale que l'objet en question convient parfaitement à l'usage qu'on lui destine : *C'est l'ouvrage* **ad hoc**.
Ad hominem	« *Vers l'homme* » Un argument *ad hominem* vise directement l'adversaire auquel on s'adresse, en lui opposant notamment ses actes ou ses déclarations.
Ad honores	« *Pour l'honneur* » S'employant souvent dans un sens ironique, signifie alors « pour la forme » : *Il a été nommé responsable* **ad honores**.
Ad infinitum	« *À l'infini* » S'emploie surtout dans un contexte scientifique.
Ad libitum	« *Selon son plaisir* » Au sens général, *ad libitum* signifie « à volonté ». En musique, cette mention (abrégée en *ad lib.*) indique que l'œuvre peut être interprétée au gré de l'exécutant, notamment en ce qui concerne le tempo.
Ad litteram	« *À la lettre* » Citer un auteur *ad litteram*, c'est le citer textuellement.
Ad majorem Dei gloriam	« *Pour la plus grande gloire de Dieu* » Sert de devise à la Compagnie de Jésus (les Jésuites). On la trouve abrégée sous la forme A.M.D.G.
Ad patres	« *Vers les pères, ancêtres* » Envoyer *ad patres* signifie « tuer » ; aller *ad patres*, « mourir ». Ces expressions s'emploient toujours dans un registre familier.
Ad referendum	« *Pour en référer* » S'emploie en chancellerie et signifie « sous réserve de l'approbation du gouvernement qu'on représente ».
Ad rem	« *À la chose* » D'une manière catégorique, nette, précise et pertinente : *Il a soutenu un raisonnement fort, précis, vraiment* **ad rem**.

Ad unum	« *Jusqu'à un seul* » Jusqu'au dernier.
Ad usum Delphini	« *À l'usage du Dauphin* » Servait à qualifier les éditions des classiques latins expurgées avant d'être soumises à la lecture du fils de Louis XIV, le Dauphin. Par extension, se dit de tout ce qui est expurgé ou édulcoré.
Ad vitam aeternam	« *Pour la vie éternelle* » Ce qui veut dire « pour toujours, à jamais ». On l'emploie souvent avec une nuance amusée ou ironique.
A fortiori	« *En partant de ce qui est plus fort* » À plus forte raison : *Parler de la sorte à ses amis est inadmissible, a **fortiori** à ses parents.*
A minima	« *De la plus petite peine* », abréviation de « *a minima poena* » Dans la langue juridique, l'appel *a minima* est l'appel que le ministère public interjette lorsqu'il estime la peine prononcée insuffisante.
A novo	« *De nouveau* » De nouveau.
A pari	« *Par une (raison) égale* » Se dit d'un raisonnement qui emprunte sa conclusion à un raisonnement ou une situation similaires, précédemment rencontrés.
A posteriori	« *En partant de ce qui vient après* » Cette locution signifie « après coup, d'après les faits observés ou les données de l'expérience » : *Il faut toujours raisonner a **posteriori**.*
A priori	« *En partant de ce qui vient avant* » Cette locution signifie « au premier abord, sans prendre en considération les faits observés » : *Un a **priori** est un préjugé.*
A quia	« *Parce que* » « Mettre, réduire quelqu'un *a quia* », c'est le mettre dans l'impossibilité de répondre. « Être *a quia* », c'est n'avoir rien à répondre, être à court d'arguments.
Bene	« *Bien* » Signifie « bien » ; s'emploie surtout sur un ton ironique.

Bis	« *Deux fois* » Indique que l'on a utilisé deux fois le même numéro sur une maison, un immeuble ou devant un paragraphe. C'est aussi le cri par lequel les spectateurs réclament qu'un spectacle qui leur a plu soit prolongé.
Circa	« *Vers* » Abrégé en *ca* ou *c.*, ce terme précède une date en indiquant qu'elle est approximative.
Confer	« *Compare* » Presque toujours abrégé en *cf.* il s'emploie pour inviter le lecteur à se reporter à ce qui suit.
De auditu	« *D'après ce qu'on entend dire* » Signifie « par l'ouïe, par ouï-dire », par opposition à *de visu* : *Je ne le sais que de auditu.*
De facto	« *De fait* » Se dit, dans le langage de la diplomatie, d'une autorité réellement établie, mais sans réalité légale. *De facto* s'oppose par le sens à *de jure*, « de droit » : *Reconnaître un gouvernement de facto.*
De jure	« *De droit* » S'oppose à *de facto* et signifie « de droit » pour désigner ce qui a été établi légalement. *Reconnaissance de jure d'un gouvernement.*
De plano	« *De plain-pied* » Faire une chose *de plano*, c'est l'exécuter sans difficulté, avec aisance. Dans la langue juridique, cette expression signifie « sans formalités, sans jugement » : *Le malheureux locataire a été expulsé de plano.*
De visu	« *De vue, après l'avoir vu* » Après l'avoir vu, pour l'avoir vu : *Je me suis assuré de visu qu'il était bien parti.*
Eodem loco, eodem opere	« *Au même endroit, dans le même ouvrage* » Souvent abrégée en *eod. loc.*, *eod. op.*, cette locution s'emploie pour renvoyer à un passage, un ouvrage cité ou évoqué auparavant.
Et alii	« *Et les autres* » Souvent abrégée en *et al.*, cette locution s'emploie dans un ouvrage collectif. Elle suit le nom d'un ou de quelques-uns des auteurs, pour indiquer la présence d'autres collaborateurs que ceux cités.

Et cætera, et cetera	«*Et toutes les autres choses*» Souvent abrégée en *etc.*, cette locution clôt une énumération et signifie «et bien d'autres choses, et ainsi de suite».
Ex abrupto	«*De manière brusque*» Brusquement, sans aucune transition, sans préparation : *Il a abordé le problème **ex abrupto**, dès le début de la réunion.*
Ex æquo	«*À égalité*» À égalité, à la même place dans un classement.
Ex cathedra	«*Du haut de la chaire*» Avec autorité, solennité ; d'un ton doctoral.
Ex consensu	«*Avec l'accord de*» Avec l'accord, l'approbation de celui à qui l'on s'adresse ou de qui l'on parle.
Ex dono	«*À la suite d'un don*» Dans un musée, une collection, cette mention marque que l'œuvre ou l'objet ainsi étiqueté a été offert par un donateur.
Ex eventu	«*Après l'événement*» Après l'événement.
Ex nihilo	«*De rien*» En partant de rien : *Tout a été créé **ex nihilo**.*
Ex professo	«*Ouvertement*» À propos d'une personne qui mène un exposé d'une manière doctorale : *Il s'exprime **ex professo**.* Cette locution désigne aussi quelqu'un de particulièrement compétent, qui maîtrise parfaitement son sujet : *Il a mené cet exposé **ex professo**.*
Extra-muros	«*Hors des murs*» En dehors de l'enceinte d'une ville. S'oppose par le sens à *intra-muros*.
Grosso modo	«*D'une manière grossière, sommaire*» En gros, sans entrer dans le détail : *Dites-moi **grosso modo** de quoi il s'agit.*
Hic et nunc	«*Ici et maintenant*» Ici même, sur-le-champ, sans délai : *Le contrat fut signé **hic et nunc**.*

Ibidem	«*Ici même*» Cet adverbe indique que l'on cite un mot ou un extrait emprunté à un ouvrage ou un passage que l'on a déjà cité.
Idem	«*La même chose*» Souvent abrégé en *id.*, il s'emploie pour éviter la répétition d'un mot, dans une énumération ou dans une expression familière : *Pars tout de suite et reviens **idem***. (V. Hugo)
Id est	«*C'est-à-dire*» Souvent abrégé en *i.e.*, signifie «c'est-à-dire».
Illico	«*Sur-le-champ*» Signifie «tout de suite, immédiatement», dans le langage familier. Souvent employé, avec le même sens, sous la forme *illico presto*, où *presto* vient de l'italien.
In absentia	«*En l'absence*» En l'absence de la personne concernée. S'emploie surtout dans le langage administratif.
In abstracto	«*Dans l'abstrait*» Abstraitement, sans tenir compte de la réalité. Cette locution s'oppose à *in concreto*, «en pratique» : *Il ne faut pas raisonner **in abstracto***.
In aeternum	«*Pour toujours*» À jamais, pour l'éternité.
In extenso	«*Dans toute son étendue*» Abrégé en *in ext.*, signifie «dans toute sa longueur, dans toute son étendue», en parlant d'un texte : *Son discours a été reproduit **in extenso***.
In extremis	«*À la dernière extrémité*» Signifie «à l'article de la mort, à l'agonie» : *Il a été baptisé **in extremis***. Dans le langage courant, cette locution signifie «au tout dernier moment, de justesse» : *Je suis monté dans le train **in extremis***.
In fine	«*À la fin*» À la fin, dans les dernières lignes d'un chapitre, d'un ouvrage.
Infra	«*Au-dessous (de)*» Dans un ouvrage, invite le lecteur à se reporter à un endroit du texte qui se trouve plus loin. C'est le contraire de *supra*.

In globo	« *Dans la foule, en masse* » En un ensemble, en masse, globalement. *J'ai acheté ces vieux disques in globo, dans une foire à la brocante.*
In hoc loco	« *À cet endroit-ci* » Toujours abrégé en *i.h.l.*, signifie « à cet endroit » dans une mention ou une référence.
In limine	« *Sur le seuil* » Sur le seuil, au début.
In memoriam	« *À la mémoire de, en souvenir de* » Se retrouve sur une inscription funéraire ou dans un écrit en hommage à une personne décédée.
In nuce	« *Dans la noix* » En résumé, sous forme condensée.
In partibus	« *Dans les pays des infidèles* » Se dit ironiquement de quelqu'un qui est sans fonction réelle, par référence aux évêques autrefois nommés sans siège : *C'est un ministre in partibus.*
In situ	« *En place* » Dans son milieu naturel, à l'endroit où on le trouve ordinairement : *Tous ces animaux sont étudiés in situ.*
In statu quo	« *Dans l'état où (les choses étaient auparavant)* » Dans la situation présente, dans l'état actuel des choses.
Instar	« *De la valeur de* » *À l'instar* signifie « à l'exemple, à la manière de » : *On vit toujours à l'instar d'un modèle.*
In terminis	« *Dans les termes* » En dernier lieu : *Nous avons eu connaissance de la décision rendue in terminis.*
Inter nos	« *Entre nous* » Entre nous (soit dit) : *Inter nos, il est loin d'avoir les capacités requises pour ce poste.*
In utero	« *Dans le ventre* » Dans le ventre maternel, dans l'utérus : *La fécondation in utero s'oppose à la fécondation in vitro.*

In vitro	« *Dans le verre* » S'oppose à *in vivo* et désigne qu'une expérience est conduite dans un milieu artificiel, en laboratoire.
In vivo	« *Dans le vivant* » Signifie qu'une expérience est menée dans le concret, et plus particulièrement dans un organisme vivant : *Les expériences in vivo s'opposent à celles in vitro.*
Ipso facto	« *Par le fait même* » Par voie de conséquence, sans formalité : *Tous ceux qui désobéiront seront ipso facto expulsés.*
Item	« *De même* » Abrégé en *it.*, signifie « de même, de plus, en outre ». S'emploie surtout dans un compte, une énumération.
Loco citato	« *À l'endroit cité* » Abrégée en *loc.cit.*, cette locution s'emploie dans les notes de livres ou d'articles pour éviter la répétition d'une référence qui a été citée précédemment.
Manu militari	« *Par la force militaire* » Signifie au sens propre « avec le concours de la force armée » et au sens figuré « par la force » : *Expulser quelqu'un manu militari.*
Mordicus	« *En mordant, avec les dents, obstinément* » S'emploie dans le langage familier et signifie « avec ténacité » : *Il me soutenait mordicus qu'il avait raison.*
Multa paucis	« *Beaucoup (de choses) par peu (de mots)* » Cette locution sert à qualifier la concision de l'expression.
Mutatis mutandis	« *En changeant ce qui doit être changé* » *Reprendre un projet de loi mutatis mutandis.*
Ne varietur	« *Afin qu'il ne soit rien changé* » Signifie « pour éviter toute possibilité de changement » : *Faites contresigner votre document ne varietur.* Et dans un sens plus général, « sans modification » : *On a publié une édition ne varietur des œuvres de Ronsard.*
Nolens, volens	« *Ne voulant pas, voulant* » Signifie « bon gré, mal gré ».
Nota, nota bene	« *Note, note bien* » Abrégée en *N.B.*, cette mention appelle l'attention du lecteur sur une remarque importante.

Opere citato	« *Dans l'ouvrage cité* » Souvent abrégé en *op. cit.*, signifie « dans l'ouvrage déjà cité ».
Optime	« *Très bien* » S'emploie en signe d'approbation totale : *Tout s'est-il bien passé ?* – *Optime.*
Passim	« *De tous côtés, partout* » Partout, en plusieurs endroits. Cette locution accompagne la référence d'un livre pour éviter de mentionner la localisation précise des passages se rapportant au sujet, dans la mesure où ils sont trop nombreux.
Pedibus (cum jambis)	« *À pied, avec les jambes* » À pied. S'emploie dans le langage familier.
Per capita	« *Par tête* » Par tête.
Post meridiem	« *Après midi* » Abrégé en *p.m.*, signifie « après midi ». Est associé à *ante meridiem*, *a.m.*, « avant midi ». Les Anglais et les Américains qui ont divisé la journée en deux périodes de douze heures et non en vingt-quatre heures, se servent de ce système de notation.
Post mortem	« *Après la mort* » Qui se situe après la mort.
Primo	« *Au commencement, d'abord* » S'emploie dans une énumération et signifie « en premier lieu ». Peut être suivi de *secundo* (deuxièmement), *tertio* (troisièmement), *quarto* (quatrièmement), *quinto* (cinquièmement), *sexto* (sixièmement), *septimo* (septièmement), *octavo* (huitièmement), *nono* (neuvièmement), *decimo* (dixièmement), *undecimo* (onzièmement), *duodecimo* (douzièmement), *vicesimo* (vingtièmement), *centesimo* (en centième lieu), *millesimo* (en millième lieu), *ultimo* (en dernier lieu, enfin).
Pro domo (sua)	« *Pour sa maison* » Pour sa propre cause. Se dit d'une personne ou du discours d'une personne qui défend sa propre cause, par référence au titre du discours que prononça Cicéron contre Claudius qui lui avait ravi ses biens : *Ce fut un plaidoyer **pro domo**.*
Pro forma	« *Pour la forme* » Une facture *pro forma* est un devis en tout point semblable à ce que sera la facture définitive, établie afin de permettre à

l'acheteur d'obtenir une licence d'importation ou d'engager une dépense.

Pro tempore	« *Selon les circonstances* » Selon les circonstances, à titre provisoire.
Quasi	« *Comme si, en quelque sorte* » Presque, pour ainsi dire.
Quid ?	« *Quoi ?* » *Quid si* signifie « quelles seront les conséquences ? » dans le cas d'une hypothèse qu'on émet. *Quid de* signifie « qu'arrivera-t-il à ? Qu'adviendra-t-il de ? ».
Quid novi ?	« *Quoi de neuf ?* » Sert à interroger plaisamment : *Quid novi, ce matin ?*
Recta	« *Tout droit, en droite ligne* » Ponctuellement, très exactement : *Il a toujours payé ses factures recta.*
Scilicet	« *Il va de soi, évidemment* » Abrégé en *sc.* ou *scil.* Suivi d'un nom, il signifie « à savoir, c'est-à-dire » et sert à rappeler l'identité d'une personne désignée par un pronom personnel dans un texte.
Sic	« *Ainsi* » Se met entre parenthèses à la suite d'une expression ou d'une phrase citée, pour souligner qu'on cite fidèlement, si étranges que paraissent les termes.
Sine die	« *Sans jour fixé* » Sans prendre date pour une autre rencontre, une autre séance : *Le débat a été ajourné sine die.*
Sine qua non	« *(Condition) sans laquelle non* » « Une condition *sine qua non* » est une condition sans laquelle une chose est impossible.
Sq., Sqq.	Abréviation de *sequiturque* (et suivante) et de *sequunturque* (et suivantes) S'emploie après un numéro de page pour indiquer qu'il faut aussi se reporter à la (aux) page(s) suivante(s).
Stricto sensu	« *Au sens strict* » Cela signifie qu'il faut prendre un mot ou une expression dans son acception la plus étroite, par opposition à *lato sensu*, « au sens large ».

Subito	« *Soudain* » D'une manière prompte, rapide. Dans l'expression de même sens, *subito presto*, « presto » est un mot italien.
Sub Jove	« *Sous Jupiter* » Sous la voûte céleste, à la belle étoile.
Sub verbo	« *Sous le mot* » Souvent abrégée en *s.v.*, cette locution invite le lecteur, dans une référence, à se reporter à l'article d'un dictionnaire traitant du mot dont il est question.
Sui generis	« *De son espèce* » Qui est propre à une espèce, à une chose, qui n'appartient qu'à elle. « Une odeur *sui generis* » désigne, par euphémisme, une mauvaise odeur.
Supra	« *Au-dessus, en haut* » Dans un ouvrage, invite le lecteur à se reporter à un endroit du texte qui se trouve plus haut. C'est le contraire de *infra*.
Ter	« *Trois fois* » Indique que l'on a utilisé trois fois un même numéro sur une maison, un immeuble, devant un paragraphe, etc.
Urbi et orbi	« *À la ville (Rome) et à l'univers* » Se dit de la bénédiction que le pape donne du haut du balcon de la basilique Saint-Pierre, pour marquer qu'elle s'étend à l'univers entier et par extension, d'une nouvelle, d'un message diffusé en tous lieux.
Via	« *Par le chemin, par la voie* » Par la voie de, en passant par.
Vice versa	« *À tour (vice) renversé (versa)* » Se dit d'un changement réciproque. *L'équipe des bleus prendra les maillots de l'équipe des rouges et **vice versa**.*
Videlicet	« *Bien entendu, naturellement* » Employé entre parenthèses, ce mot sert à apporter un rectificatif, à corriger une erreur dans un texte qu'on cite. Signifie aussi « c'est-à-dire ».
Vulgo	« *Couramment, communément* » « Communément », par opposition à « scientifiquement » dans la langue commune.

EN SOUVENIR
DES DIEUX ET DES HÉROS...

Nombreux sont les héros de la mythologie gréco-romaine qui se sont installés dans notre langue, prêtant leur nom à la formation d'expressions courantes dont nous connaissons le sens, mais dont nous avons souvent oublié l'origine.

Le talon d'Achille

Héros de *l'Iliade,* Achille est le fils du roi Pélée et de la divinité marine Thétis. Selon la légende, sa mère, pour le protéger, l'aurait plongé dans le fleuve des Enfers, qui avait la propriété de rendre invulnérable. Malheureusement, seul le talon par lequel Thétis tenait l'enfant n'aurait pas été immergé. Ce qui permit à Pâris de tuer Achille d'une flèche.
La locution « talon d'Achille » désigne le point vulnérable d'un individu.

Nettoyer les écuries d'Augias

Augias, roi d'Élide, avait hérité de son père plusieurs troupeaux de bœufs, mais il ne prit jamais la peine de nettoyer les étables, si bien qu'au bout de quelques années le fumier finit par s'y accumuler. Hercule se vit confier, pour le cinquième de ses travaux, la lourde tâche de nettoyer ces écuries en un seul jour. Pour mener à bien cette épreuve, il fit une brèche dans le mur des écuries et y fit pénétrer les eaux de deux fleuves, l'Alphée et le Pénée, qu'il avait détournés.
L'expression « nettoyer les écuries d'Augias » signifie rétablir l'ordre là où régnaient le désordre, la corruption.

Jouer les Cassandre

Fille de Priam et d'Hécube, Cassandre avait reçu d'Apollon le don de prophétie. Mais, comme elle repoussait l'amour de ce dieu, il décida pour se venger que ses prédictions, bien que vraies, ne seraient jamais crues.
L'appellation de « Cassandre » est souvent appliquée, dans la presse, aux hommes politiques qui se livrent à des prévisions jugées pessimistes. On emploie à ce propos l'expression « jouer les Cassandre ».

Tomber de Charybde en Scylla

Fille de la Terre (Gaïa) et de Poséidon, Charybde vivait sur un rocher du détroit de Messine. Ce monstre dévorait les navigateurs qui avaient eu le malheur de s'aventurer dans ses eaux. De l'autre côté du détroit, était embusqué un monstre à six têtes, Scylla, qui dévorait tous ceux qui avaient eu la chance d'échapper à Charybde.
L'expression « tomber de Charybde en Scylla » signifie « tomber d'un état critique dans un autre état, pire encore ».

Partir pour Cythère	Cythère n'est pas un personnage, mais un lieu de la mythologie. Cette île grecque située entre le Péloponnèse et la Crète, abritait un temple de Vénus et passait pour être un lieu de plaisir, placé sous le signe de l'amour. «Partir pour Cythère» signifie «s'abandonner aux délices de l'amour». Le célèbre tableau de Watteau *L'Embarquement pour Cythère* en est une belle illustration.
Le tonneau des Danaïdes	Le roi de Libye, Danaos, avait cinquante filles, les Danaïdes, et son frère, Egyptos, cinquante fils. Ce dernier proposa que les deux groupes de cousins se marient entre eux; mais Danaos, suspectant une ruse de la part de son frère pour s'emparer de son trône, ordonna à ses filles de tuer leur mari le soir des noces. Toutes s'exécutèrent sauf une, Hypermnestre, amoureuse de son mari Lyncée. Plus tard, Lyncée vengera ses frères en tuant à son tour les Danaïdes, Hypermnestre exceptée. Parvenues aux Enfers, elles furent condamnées à remplir d'eau pour l'éternité un tonneau sans fond. «Le tonneau des Danaïdes» est une expression qui désigne une dépense sans cesse renouvelée, ou une tâche qu'il faut sans cesse recommencer, ou encore une personne qui dépense au fur et à mesure l'argent qu'elle gagne.
Se croire sorti de la cuisse de Jupiter	Dionysos (ou Bacchus), dieu de l'exubérance, de la nature et de l'ivresse, était le fils de Zeus (ou Jupiter) et de Sémélé. Cette dernière, poussée par l'épouse jalouse de Zeus, demanda à son amant de lui donner les preuves de sa puissance. Le dieu s'exécuta et surgit, au milieu du tonnerre et des éclairs; la jeune femme fut foudroyée sur-le-champ, et Zeus n'eut que le temps de lui arracher l'enfant qu'elle portait en son sein. Il le recueillit dans sa propre cuisse pour qu'il y poursuivît sa croissance. L'expression familière «se croire sorti de la cuisse de Jupiter» s'emploie à propos de quelqu'un à qui l'on reproche de se prendre pour un dieu, de se placer au-dessus des autres.
Être dans les bras de Morphée / sortir des bras de Morphée	Morphée, fils du Sommeil (Hypnos) et de la Nuit (Nyx), était le dieu des songes. Il avait, entre autres pouvoirs, celui d'endormir les mortels en les touchant avec une fleur de pavot. «Être dans les bras de Morphée» signifie «dormir», «sortir des bras de Morphée», «s'éveiller». Morphée a également donné son nom à la «morphine», substance douée de propriétés soporifiques et calmantes.
La boîte de Pandore	Selon une légende, Pandore est la première femme créée par Zeus. Son nom signifie «tous les dons». Les dieux lui avaient remis une cassette scellée qui contenait tous les maux. Poussée par la curiosité, elle ouvrit la boîte et laissa échapper peines, maladies, querelles, et tous les malheurs se répandirent de ce

jour sur les hommes. Pandore eut cependant le temps de refermer précipitamment le couvercle, si bien que l'Espérance resta au fond. Et, depuis, les hommes n'ont plus qu'elle pour se consoler des maux qui les accablent.

L'expression « boîte de Pandore » désigne ce qui risque de provoquer un grand nombre de malheurs.

Quant au mot « Pandore », désignant dans un registre familier et vieilli un gendarme, il n'a aucun rapport avec la mythologie, mais résulte de la création d'un personnage comique par un chansonnier du siècle dernier.

Une victoire à la Pyrrhus

Pyrrhus, roi d'Épire, remporta sur les Romains une série de batailles, notamment la bataille d'Ausculum. Malheureusement, il perdit lors de cet affrontement le meilleur de ses troupes et bien qu'il réussît encore par la suite à dominer les Romains, il finit par échouer dans sa conquête de l'Italie et dut se retirer sur ses terres.

Cette expression désigne une victoire si chèrement acquise que le bilan en est négatif.

Le supplice de Tantale

Tantale, roi de Lydie, avait offensé les dieux à maintes reprises ; il poussa même la provocation jusqu'à leur servir, au cours d'un festin, la chair découpée et cuite de son propre fils Pélops. Il fut châtié dans le Tartare (région des Enfers). Plongé dans l'eau jusqu'au menton, il avait au-dessus de la tête une branche chargée de fruits, mais à chaque fois qu'il tendait la main pour se nourrir, la branche s'éloignait. De même, chaque fois qu'il voulait se désaltérer, l'eau se dérobait à lui.

Cette expression désigne une situation où l'on est proche de l'objet de ses désirs, sans pouvoir l'atteindre.

LA MYTHOLOGIE AU QUOTIDIEN

Quantité de héros ou de lieux de la mythologie grecque et latine sont entrés dans le langage courant sous forme de noms communs.

Adonis

Fils de Myrrha et du père de celle-ci, Théias, Adonis était un adolescent d'une très grande beauté. Il fut le compagnon d'Aphrodite (Vénus). Lorsqu'il mourut tué par un sanglier, la déesse, désespérée, le changea en anémone.

On désigne sous le nom d'adonis un jeune homme d'une grande beauté.

Amazone

Les Amazones étaient un peuple de chasseresses guerrières qui exerçaient une forte fascination sur les hommes. Pourtant, elles refusaient totalement leur autorité et leur présence et vivaient entre elles, sous l'autorité d'une reine. La légende affirme qu'elles se coupaient le sein droit pour pouvoir plus aisément tirer à l'arc.

«Monter en amazone» est une manière de monter à cheval en plaçant les deux jambes du même côté de la selle.

Amphitryon

Ce roi de Tirynthe était marié à la très belle Alcmène. Zeus, tombé amoureux de la mortelle, dut, pour séduire la fidèle épouse, prendre l'apparence du mari. C'est ainsi qu'Alcmène, croyant être dans les bras d'Amphitryon, conçut avec le dieu un fils passé à la célébrité : Héraclès (Hercule).

Un «amphitryon» est un hôte qui offre à dîner.

Apollon

Fils de Zeus (Jupiter) et de Léto, Apollon était le dieu des oracles, de la beauté, de la médecine, des arts, de la poésie, des troupeaux du jour et du soleil. Il avait le pouvoir de connaître l'avenir et de purifier.

Un «apollon» désigne, dans le langage courant, un homme d'une beauté parfaite.

Argus

Monstre à la force prodigieuse, Argus ne possédait pas moins de cent yeux répartis sur tout le corps. Sa vigilance était redoutable car il ne dormait jamais complètement, la moitié de ses yeux restant ouverts.

Dans la langue littéraire, un «argus» désigne un surveillant, un espion vigilant et difficile à tromper.

Ce nom est aussi celui d'une publication qui fournit des renseignements spécialisés : L'Argus de l'automobile.

Béotien

Habitants de la Béotie, les Béotiens étaient, dès l'Antiquité, connus pour leur lourdeur d'esprit.

Un «béotien» désigne dans le langage courant un personnage lourd, peu ouvert aux lettres et aux arts, de goûts grossiers : C'est un béotien.

C'est, dans un sens plus général, une personne profane dans un domaine : *Je suis béotien en la matière.*

Cerbère

Cerbère, chien monstrueux à trois têtes et à queue de serpent, était chargé de garder l'entrée des Enfers.
Un « cerbère » désigne un portier, un gardien hargneux et intraitable.

Chimère

La Chimère, qui vivait en Lycie, était un animal fabuleux avec un corps de chèvre, une tête de lion et une queue de dragon. Elle crachait des flammes et dévorait sans pitié hommes et troupeaux.
Une « chimère » désigne un rêve, une utopie, une création vaine de l'imagination : *nourrir de vaines, de folles chimères.*

Circé

Circé était une magicienne qui habitait l'île d'Aéa. Ses philtres avaient le pouvoir de transformer en animaux tous ceux qui pénétraient sur son territoire. Ulysse séduit, séjournera même une année entière à ses côtés et parviendra à lui échapper.
Une « circé » désigne une femme ensorcelante, à la séduction de laquelle on ne peut résister.

Cupidon

Nom latin du dieu grec Éros, dieu de l'amour. On connaît surtout la représentation que l'on s'en fait à l'époque classique : celle d'un bambin joufflu, muni d'un arc et de flèches qu'il décoche indifféremment contre les dieux ou les hommes.
Un « cupidon » sert à qualifier un enfant ou un adolescent d'une beauté remarquable.

Dédale

Architecte et inventeur grec, Dédale conçut pour le roi Minos le Labyrinthe afin qu'il pût y enfermer le Minotaure, né de l'accouplement de son épouse Pasiphaé avec un taureau.
Un « dédale » est un lieu où l'on risque de s'égarer à cause de la complication des détours : *un dédale de ruelles.*
Au sens figuré, un dédale évoque un ensemble de choses embrouillées : *le dédale administratif.*

Diane

Diane, déesse chasseresse, symbolisait surtout chez les Romains la chasteté et la lumière lunaire.
Elle a donné son nom en psychanalyse à un comportement qui consiste en un refus de la féminité et de la sexualité : *le complexe de Diane.*

Écho

Écho, jeune nymphe des bois et des sources, était très bavarde et détournait l'attention d'Héra pendant que son époux, Zeus, se livrait à ses aventures galantes. Lorsqu'elle s'en aperçut, Héra la condamna à ne pouvoir répéter que les derniers mots de ceux qui l'interrogeaient et la changea en rocher.
L'écho désigne le phénomène de réflexion du son par un obs-

tacle qui le répercute, mais aussi le son ainsi répété : *Il y a de l'écho dans cette église.*

Égérie

La nymphe Égérie fut la conseillère du deuxième roi de Rome, Numa le Pieux, à qui elle inspira notamment sa législation religieuse.
Une « égérie » est le nom que l'on donne à la conseillère, l'inspiratrice d'un homme politique, d'un artiste.

Électre

Électre vouait un amour passionné à son père, Agamemnon. Lorsque ce dernier fut assassiné par Égisthe, l'amant de sa mère, avec la complicité de cette dernière, elle se jura de le venger. C'est avec l'aide de son frère Oreste qu'elle tuera leur mère adultère Clytemnestre et l'amant usurpateur.
Cet amour sans limite pour le père qui conduit au meurtre de la mère est à l'origine du parallèle qu'on établit entre le destin d'Électre et celui d'Œdipe. En psychanalyse le *complexe d'Électre* est à la fille ce que le complexe d'Œdipe est au garçon.

Furies

Les Furies étaient les divinités des Enfers chez les Romains, l'équivalent des Érinyes ou Euménides chez les Grecs. On les représentait avec les cheveux entremêlés de serpents, tenant d'une main une torche ardente, de l'autre un poignard. Elles persécutaient les criminels jusqu'à les rendre fous.
Le mot au singulier désigne aujourd'hui une femme au tempérament méchant et violent, une mégère.

Harpyes

Au nombre de trois, ces monstres ailés au visage de femme et au corps de vautour étaient particulièrement voraces.
Une « harpie » désigne aujourd'hui une femme méchante, acariâtre et rapace, une furie, une mégère.

Hercule

Hercule pour les Romains, Héraclès pour les Grecs, est le héros le plus prestigieux de la mythologie. Né de l'union de la mortelle Alcmène et de Zeus, il fera preuve dès son plus jeune âge d'une force hors du commun. Il exécutera, en douze ans, douze travaux irréalisables pour un simple mortel, travaux qu'il accomplira avec succès grâce à sa force, son courage et sa ruse.
Un « hercule » est un homme d'une force physique exceptionnelle : *C'est un véritable hercule. Une force herculéenne.*
On désigne sous le terme « hercule de foire » ou « hercule forain », un athlète qui fait des tours de force dans les cirques ou les foires.

Hydre

L'hydre de Lerne était un monstre à corps de chien affublé de sept têtes, dont l'une était immortelle. Hercule, chargé de tuer le monstre, dut faire venir en renfort son neveu Ioalos car chaque fois qu'il parvenait à couper une des sept têtes, il en renaissait plusieurs sur-le-champ. Pour remédier à cette difficulté, ils décidèrent que Iolaos brûlerait immédiatement la blessure occasionnée par Hercule. Grâce à cette ruse, il vint à bout du monstre dans le sang duquel il trempa ses flèches afin de les empoisonner.

On désigne sous le terme d'« hydre » un mal, des troubles qui se renouvellent, malgré les remèdes qu'on tente de leur opposer, notamment en politique : *l'hydre du chômage*.

Janus

Dieu romain du seuil et de la porte, mais aussi dieu des commencements, Janus était représenté avec deux visages barbus opposés, symbolisant le don qu'il avait reçu de Saturne et qui lui permettait d'avoir la vision du passé comme de l'avenir.

Un « Janus » est une personne qui présente deux aspects très différents, voire opposés ou qui mène une double vie.
Ce terme désigne parfois aussi un hypocrite.

Labyrinthe

Le Labyrinthe de Crète fut construit par l'architecte Dédale sur l'ordre de Minos pour y enfermer le Minotaure. Emprisonné dans son propre édifice sur l'ordre du roi Minos, Dédale parviendra à s'échapper avec son fils Icare en se fabriquant des ailes de plumes et de cire.

Un « labyrinthe » désigne un réseau compliqué de chemins tortueux, de galeries dont on a peine à sortir, une complication inextricable : *se perdre dans le labyrinthe de ses pensées*.

Mentor

C'est à lui qu'Ulysse confia la lourde tâche de veiller à ses intérêts et d'éduquer son fils lorsqu'il partit pour Troie.
Un « mentor » est, dans le langage littéraire, un guide, un conseiller sage et expérimenté.

Muses

Ces déesses, au nombre de neuf, président aux arts libéraux : Calliope symbolise l'Éloquence, Clio est la muse de l'Histoire, Érato préside à l'Élégie, Euterpe à la Musique, Melpomène à la Tragédie, Polhymnie à la Poésie lyrique, Thalie à la Comédie, Terpsichore se consacre à la Danse et Uranie à l'Astronomie.
On désigne par « muse » l'inspiration poétique ou l'inspiratrice d'un artiste.

Myrmidons

Les Myrmidons, habitants de Thessalie, étaient à l'origine des fourmis que Zeus aurait transformées en hommes afin qu'ils repeuplent cette terre dévastée par une famine.
Un « myrmidon » ou « mirmidon » est un petit homme chétif, insignifiant, tout le contraire d'un hercule.
On désigne aussi par le terme de « myrmidon » quelqu'un de peu de crédit, de ridicule.

Naïades

Nymphes des sources et des cours d'eau, les Naïades, à la redoutable beauté, attiraient sur leur territoire les jeunes gens qui se noyaient.

On désigne parfois sous le nom de « naïade » une jeune femme qui nage avec grâce.

Narcisse

D'une beauté remarquable, Narcisse était aimé aussi bien des jeunes filles que des jeunes gens, mais il les repoussait tous avec dédain. Se penchant un jour sur une source limpide, il fut subjugué par son reflet. Tombé amoureux sans le savoir de cet autre lui-même, il mourra de ne pouvoir saisir cette image et sera changé en fleur.

Un « narcisse », outre la plante à fleurs blanches campanulées très parfumées, est un homme qui se contemple, s'admire, est amoureux de sa personne.

Le « narcissisme » désigne l'attention exclusive que l'on porte à soi ou, en psychanalyse, une fixation affective à soi-même.

Nectar

Le *nectar* était le breuvage des dieux et rendait immortels ceux qui en goûtaient, tout comme l'ambroisie.

Le « nectar » désigne une boisson à la saveur exquise ou, plus généralement, une boisson à base de jus ou de purée de fruits, d'eau et de sucre : *du nectar d'abricot.*

Nymphes

Ces jeunes divinités bienveillantes vivaient dans les bois, les eaux, les grottes. Elles avaient le pouvoir de stimuler le courage et la grandeur d'âme.

Une « nymphe » est une jeune femme ou une jeune fille au corps gracieux.

Le diminutif « nymphette » désigne plus particulièrement une très jeune fille au physique attrayant, aux manières aguicheuses et à l'air faussement candide.

Odyssée

L'*Odyssée* est le titre de l'épopée d'Homère qui retrace les différentes étapes du voyage d'Ulysse pour regagner Ithaque après la fin de la guerre de Troie.

Ce mot désigne un voyage particulièrement mouvementé.

Œdipe

Un oracle ayant prédit qu'il tuerait son père Laïos, roi de Thèbes, et qu'il épouserait sa mère Jocaste, Œdipe échappa à la mort qu'on voulut lui infliger à sa naissance. Il sera recueilli et élevé par le roi de Corinthe. Quelques années plus tard, Œdipe exilé se querella avec un voyageur et le tua, sans savoir que cet inconnu était Laïos, son père. Parvenu à Thèbes, il vint à bout des énigmes que le Sphinx soumettait aux passants et le terrassa. Délivrés de ce monstre, les Thébains le proclamèrent roi et Œdipe épousa la reine Jocaste, sa propre mère. La prédiction s'était donc accomplie. Lorsqu'il découvrira l'affreuse vérité, Œdipe se crèvera les yeux et reprendra le chemin de l'exil.

Freud a donné le nom de « complexe d'Œdipe » à l'attachement érotique qu'éprouve le jeune garçon à l'égard de sa mère et à son corollaire, le sentiment de rivalité envers le père.

Pactole

Pactole est le nom d'un fleuve de Lydie et signifie « fleuve qui roule de l'or ».
Selon la légende, Midas avait reçu de Dionysos la faculté de changer en or tout ce qu'il toucherait. Malheureusement, l'eau et la nourriture n'échappaient pas à cette métamorphose et Midas, condamné à mourir de faim et de soif, implora Dionysos de lui retirer ce don. Ce dernier lui conseilla de se laver dans la source du Pactole qui, de ce jour, se mit à rouler des paillettes d'or dans son cours.
Le mot « pactole » désigne aujourd'hui une source de profit : *Il a trouvé le pactole.*

Phénix

Le Phénix était un oiseau unique de la taille d'un aigle royal qui était dans l'impossibilité de se reproduire mais avait en revanche le pouvoir de renaître de ses cendres après s'être fait brûler lui-même sur le bûcher qu'on appelait « immortalité ». Un « phénix » est une personne supérieure par ses dons, un être unique en son genre.

Protée

Dieu de la mer, Protée avait le pouvoir de se métamorphoser à volonté pour échapper à ceux qui cherchaient à le questionner.
Un « Protée » est une personne qui change sans cesse d'opinions, joue toutes sortes de personnages.

Pygmalion

Ce roi de Chypre avait sculpté une statue dont il tomba fou amoureux. Il obtint d'Aphrodite qu'elle donnât la vie à sa créature et il l'épousa.
Un « pygmalion » est une personne qui intervient de façon décisive dans l'éducation ou l'évolution de quelqu'un qu'il a pris sous sa protection.

Satyres

Ces démons, mi-hommes mi-boucs, étaient représentés avec une figure et un torse humains mais affublés de petites cornes, de longues oreilles, de pieds de bouc et d'une longue queue. Attachés à Dionysos, ils parcouraient la campagne, jouant de la flûte et dansant, à la poursuite des nymphes et des mortelles.
Un « satyre » est un homme lubrique, obscène, parfois exhibitionniste ou voyeur.

Sibylles

Ce nom désignait les prophétesses antiques, du nom d'une célèbre devineresse, prêtresse d'Apollon.
Une « sibylle » est une femme qui prédit l'avenir.
L'adjectif « sibyllin » sert à qualifier quelque chose dont le sens est caché, quelque chose de mystérieux, d'énigmatique : *des paroles sibyllines.*

Sirènes	Monstres marins, les sirènes étaient représentées comme des femmes ailées à queue de poisson. Elles attiraient de leurs chants merveilleux les navires sur les récifs afin de pouvoir dévorer les équipages. Ulysse mit fin à leur terrible pouvoir en bouchant de cire les oreilles de ses compagnons et en se faisant lui-même attacher au mât de son navire afin de pouvoir les écouter sans succomber. Dépitées par cet échec, elles se jetèrent dans la mer et se métamorphosèrent en rochers. Une « sirène » est une femme dotée d'un dangereux pouvoir de séduction. L'expression « écouter le chant des sirènes » signifie « se laisser séduire ». Une « voix de sirène » est une voix enchanteresse.
Stentor	Ce personnage de *L'Iliade* avait la particularité de posséder une voix retentissante. Une « voix de stentor » est une voix forte, retentissante.
Titans	Les Titans, au nombre de six, étaient les fils du Ciel, Ouranos, et de la Terre, Gaïa. De taille gigantesque, ils auraient été les premiers à régner sur le monde et se seraient unis à leurs six sœurs, les Titanides pour donner naissance à d'autres divinités. Un « titan » désigne l'auteur d'un ouvrage, d'une réalisation à l'ampleur démesurée : *une œuvre de titan.*
Vénus	Elle était aux Romains ce qu'Aphrodite, déesse de l'amour et de la beauté, était aux Grecs. Une « vénus » est une femme d'une grande beauté, l'équivalent féminin d'un adonis ou d'un apollon : *Ce n'est pas une vénus, elle n'est pas très belle.*

L'ÉTYMOLOGIE AU SECOURS DU BON SENS

Trop souvent, la méconnaissance de l'étymologie nous conduit à faire des contresens ou à commettre des impropriétés, la plupart du temps des pléonasmes (fait d'employer un terme qui ne fait qu'ajouter une répétition à ce qui est exprimé). Certaines des expressions ci-dessous ont été consacrées par l'usage, mais il est toujours agréable de savoir pourquoi un puriste les bouderait!

Au jour d'aujourd'hui
« Aujourd'hui » est déjà une forme renforcée de *hui* signifiant à lui seul « aujourd'hui ». Il faut donc comprendre dans « aujourd'hui » : au jour d'hui.
« Au jour d'aujourd'hui » devient vraiment très redondant !

Aux quatre coins de l'Hexagone
Hexa en grec veut dire « six » et, de fait, l'hexagone est une figure géométrique à six angles et six côtés.
La logique voudrait donc que l'on dise « aux six coins de l'Hexagone » pour signifier « partout ».
On peut aisément remplacer cette formule par :
En tout point, en tout lieu de l'Hexagone.

Avoir le monopole exclusif
« Monopole », du latin *monopolium,* signifie au sens étymologique « droit de vendre seul ».
L'expression « monopole exclusif » est donc un pléonasme.
On dira :
Cette entreprise a le monopole des services de messagerie.

Choisir entre deux alternatives
« Alternative », qui vient du latin *alternare, alter,* « l'autre » désigne au sens propre « une situation dans laquelle il n'est que deux partis possibles ».
On ne choisit donc pas entre deux alternatives, mais entre les deux termes d'une alternative :
Je suis placé devant une alternative : dois-je partir ou bien rester ?

Commémorer un souvenir (un anniversaire)
« Commémorer » vient de *memoria* signifiant « mémoire ».
Commémorer, c'est rappeler par une cérémonie le souvenir d'un événement. L'un des deux mots est de trop, il faut choisir entre la mémoire et le souvenir.
Cette année-là, on commémora la naissance de Voltaire, on célébra le trois-centième anniversaire de sa naissance.

Commettre un acte héroïque
« Commettre » vient du latin *committere* et signifie, au sens premier, « exécuter un acte blâmable ».
On ne peut donc pas commettre un acte glorieux, en revanche on commet un crime, un méfait.

Des dégâts conséquents
L'adjectif « conséquent » vient du latin *consequi,* qui signifie « suivre ».

« Être conséquent », c'est agir avec un esprit de suite : *Il a toujours été conséquent dans ses actions et ses prises de position.*

« Conséquent », tel qu'on l'emploie au sens « de très important », va à l'encontre de l'étymologie.

Il est donc incorrect de parler de dégâts conséquents, d'une fortune conséquente ou de frais conséquents.

Des illusions trompeuses

« Illusion » vient du latin *illusio,* de *ludere,* « jouer ».

Une illusion désigne une fausse apparence.

L'expression « illusions trompeuses » est un pléonasme.

Le mot « illusion » se suffit à lui-même : *Je suis le jouet d'illusions.*

Des verres soi-disant incassables

« Soi-disant » (et non **soit-disant,* comme on l'écrit parfois) ne devrait s'appliquer qu'à des personnes puisqu'il signifie « il dit de lui-même, il se dit, il se prétend ». On peut dire : « *Le soi-disant marquis n'était en fait qu'un escroc.* » (Il se disait marquis, mais ne l'était pas.)

En revanche, l'expression « des verres soi-disant incassables » sera délaissée au profit de : « *des verres dits incassables* » ou « *des verres prétendument incassables* ».

Concernant des personnes, on peut remplacer « soi-disant » par « prétendu », mais le sens n'est plus tout à fait le même : « *Le soi-disant spécialiste que j'ai consulté n'a pas été en mesure de résoudre mon problème.* » (Il se prétend spécialiste, mais il ne l'est apparemment pas.)

« *Le prétendu spécialiste que vous m'aviez recommandé n'a pas été en mesure de résoudre mon problème.* » (Vous le qualifiez de « spécialiste », mais la réalité des faits montre qu'il en est autrement.)

Être ingambe

« Ingambe » vient de l'italien *in gamba* qui signifie « alerte ». *In* n'est pas ici un préfixe privatif.

Être ingambe, ce n'est donc pas, comme on le croit souvent, « avoir les jambes coupées » ou « être impotent ». Bien au contraire, c'est le signe d'une forme physique remarquable.

Excessivement belle, gentille, intelligente...

« Excessivement », dérivé de « excès », vient du latin *excedere,* « excéder », au sens où l'on dépasse la mesure permise ou souhaitable.

L'emploi de l'adverbe « excessivement » doit donc être réservé à ce qui est démesuré, énorme, monstrueux, effrayant, exagéré.

On parlera de « prix excessivement élevés », d'un caractère « excessivement nerveux », ou de « quelqu'un qui mange excessivement ».

Mais déplorer qu'une femme soit belle à l'excès, ou qu'un livre soit excessivement intéressant, c'est un peu surprenant !

On emploiera dans ce cas l'adverbe « extrêmement » :
Je suis en train de lire une biographie extrêmement intéressante.

Il (n') y a (pas) péril en la demeure

« Demeure » vient du latin *demorari,* qui signifie « tarder ».
« Demeure » n'est donc pas dans cette expression synonyme d'« habitation ».
« Il n'y a pas péril en la demeure » veut dire « ce n'est pas urgent, rien ne presse ». À l'inverse, « il y a péril en la demeure » signifie « il peut être dangereux d'attendre, il faut agir vite » et non pas comme on le croit souvent « le danger est à l'intérieur même de la maison ».

Jouir d'une mauvaise santé

« Jouir » vient du latin *gaudire* qui signifie « se réjouir intérieurement ». L'emploi de ce verbe est donc lié à l'idée de quelque chose d'agréable.
C'est en méconnaître l'emploi que de dire **« jouir d'une mauvaise santé, *jouir d'une mauvaise réputation ».

La panacée universelle

« Panacée » vient du latin *panacea* – sur le grec *pan,* « tout », et *akos* « remède » – et signifie « remède universel, agissant sur toutes les maladies ».
L'expression « panacée universelle » est un pléonasme.

Le moindre petit détail, défaut...

« Moindre » vient du latin *minor,* comparatif de *parvus,* « petit ».
« Moindre » veut donc dire « plus petit ».
L'associer à l'adjectif « petit » devient un pléonasme.
On se contentera d'opter pour l'une ou l'autre de ces deux expressions :
Il n'y a pas le moindre bruit.
Il n'y a pas le plus petit bruit.

Opposer son veto

« Veto » est un mot latin qui signifie « j'interdis ».
« Opposer son veto » est redondant. On dira plutôt :
Mettre son veto, opposer son droit de veto.

S'avérer faux

Au sens premier, « avérer », qui vient de l'ancien français *voir* signifiant « vrai » (du latin *verus*), veut dire « se révéler vrai ».
On peut donc dire :
Il s'est avéré que tu avais raison.
On peut aussi admettre, par extension :
Cette tentative s'est avérée très positive.
Mais il est incorrect d'accoupler « avérer » avec l'adjectif « faux », ce qui constitue un contresens.
De même, « s'avérer vrai » est un pléonasme.

Un faux prétexte

« Prétexte » vient du latin *praetextus,* signifiant « tissé ou brodé par-devant » et par métaphore, « motif mis en avant », c'est-à-dire une raison alléguée pour dissimuler le véritable motif d'une action, une excuse, un faux-fuyant.

43

L'expression « faux prétexte » est donc un pléonasme.
On doit dire simplement « un prétexte ».

Un magasin bien achalandé

« Achalandé » est dérivé du nom « chaland » qui signifie « acheteur, client ».

Un magasin « bien achalandé » est donc à l'origine un magasin qui a une clientèle abondante et non pas un magasin qui offre beaucoup de choix.

Néanmoins, on constate que ce dernier sens s'est imposé en français moderne au point d'éliminer la valeur étymologique.

Un tableau inouï

L'adjectif « inouï », dérivé du vieux verbe « ouïr » qui signifie « écouter, entendre », ne devrait s'employer que pour qualifier quelque chose dont on n'a jamais entendu parler ou qu'on n'a jamais entendu.

On le remplacera donc par des adjectifs comme *extraordinaire, incroyable, étonnant, prodigieux, étrange* chaque fois que le phénomène désigné ne met pas en jeu l'ouïe, mais la vue, le toucher ou l'odorat :
J'ai vu un tableau étonnant.

Une belle opportunité

Dire : « *Profitez-en, c'est une belle opportunité* », pour « une bonne occasion » est incorrect.

Une « opportunité » désigne ce qui est opportun, du latin *opportunus*, signifiant « qui conduit au port », c'est-à-dire qui convient dans une situation donnée, qui vient à propos.

« Discuter de l'opportunité d'une mesure », c'est discuter pour savoir si cette mesure viendrait à propos ou pas.

L'emploi du mot « opportunité » au sens d'« occasion, affaire, possibilité » vient d'une confusion avec l'anglais « *opportunity* » qui ne veut pas dire « opportunité », mais « occasion, affaire ».

Employons donc les mots français avec leur sens français.

Une secousse sismique

L'adjectif « sismique », dérivé de « séisme », vient du grec *seieîn* signifiant « secouer ».

L'expression « secousse sismique » a donc quelque chose de redondant. On lui préférera :
Secousse tellurique, tremblement de terre.

Vous n'êtes pas sans ignorer

« Ignorer », c'est « ne pas savoir ».

Dire à quelqu'un qu'il n'est pas sans ignorer quelque chose, c'est précisément lui dire qu'il l'ignore.

Il faut donc lui dire, sous peine de le vexer :
Vous n'êtes pas sans savoir que ce livre est de lui.

DES MOTS EN SUSPENS

Nombreux sont les mots d'origine étrangère, et notamment les mots anglais, que nous employons tous les jours sans nous poser de questions sur leur origine ou leur signification.
En revanche, les mots récemment importés, drainés la plupart du temps par les technologies nouvelles, restent pour beaucoup d'entre nous des mots barbares que nous aurions beaucoup de peine à traduire.
Ces mots sont-ils promis à un brillant avenir, s'implanteront-ils dans la langue française ? Peut-être que oui, peut-être que non.
Quoi qu'il en soit, il existe pour chacun de ces termes une traduction officielle ; en voici quelques exemples :

TERMES ÉTRANGERS	TERMES FRANÇAIS
abstract	→ résumé
airbag	→ sac, coussin gonflable
background	→ arrière-plan
back up	→ secours informatique
black out	→ occultation
blind test	→ test aveugle
broker	→ courtier
bug	→ bogue
buzzer	→ vibreur sonore
casting	→ distribution artistique
CD-ROM	→ disque optique compact (D.O.C.)
challenge	→ défi
check-list	→ liste de vérification
coach	→ entraîneur
computer	→ ordinateur
container	→ gaine, conteneur
data	→ données
data base	→ base de données
debug/debugger	→ déboguer/débogueur
design	→ stylique
design	→ conception
designer	→ stylicien
designer	→ concepteur
digest	→ condensé
directory	→ répertoire
dispatching	→ répartition, ventilation
electronic mail	→ messagerie électronique
escalator	→ escalier mécanique

TERMES ÉTRANGERS	TERMES FRANÇAIS
fast-food	→ restauration rapide
fill-in	→ interlude
firmware	→ microprogramme
floppy disk	→ disquette
hardware	→ matériel informatique
hot line	→ numéro d'urgence
jingle	→ sonal
joint venture	→ co-entreprise
joystick	→ manche à balai
kit	→ lot
kit	→ prêt-à-monter
know-how	→ savoir-faire
layout	→ topologie
leader	→ meneur
leasing	→ location avec option d'achat (L.O.A)
lifting	→ remodelage, restylage
listing	→ listage
mail box	→ boîte aux lettres
mailing	→ publipostage
mainframe	→ macro-ordinateur
manager	→ manageur
marketing	→ mercatique
marketing mix	→ marchéage
master	→ souche, bande-mère
merchandising	→ marchandisage
microcomputer	→ micro-ordinateur
minivan	→ monospace
mismatch	→ mésappariement
mobil home	→ résidence mobile

TERMES ÉTRANGERS	TERMES FRANÇAIS
monitoring	→ monitorage
mountain bike	→ vélo tout terrain (V.T.T.)
multilevel marketing (MLM)	→ vente par réseau coopté (V.R.C.)
notebook computer	→ ordinateur bloc-notes
notepad computer	→ ardoise électronique
off line	→ autonome
off shore	→ extraterritorial
one man show	→ spectacle solo
operating system	→ système d'exploitation
out	→ dehors
overbooking	→ surréservation
overlap	→ débordement
pack	→ paquet
packaging	→ conditionnement, emballage
perchman	→ perchiste
phoning	→ démarchage téléphonique
planning	→ planification
play back	→ présonorisation
plot	→ tracé
pool	→ syndicat de prise ferme, tour de table
rack	→ baie
raider	→ attaquant
rating	→ notation
retrofit	→ rattrapage
revolving credit	→ crédit permanent
royalty	→ redevance
scanner	→ scanneur
scoop	→ exclusivité
score	→ marque
serial	→ feuilleton
shareware	→ logiciel contributif
short form	→ connaissance abrégé
shuttle	→ navette
sniper	→ tireur isolé
software	→ logiciel

TERMES ÉTRANGERS	TERMES FRANÇAIS
sourcing	→ sourçage
speaker	→ annonceur
sponsor	→ parrain, parraineur
sponsoring	→ parrainage
sponsoriser	→ commanditer, parrainer
spot	→ message publicitaire
stand-by	→ attente
story-board	→ scénarimage
support	→ soutien
surbooking	→ surréservation
survey	→ campagne d'évaluation
switch	→ interrupteur, commutateur
task force	→ groupe de projet
tax free shop	→ boutique hors taxes
teasing	→ aguichage
telemarket	→ télémarché
telemarketing	→ télémercatique
tie-break	→ jeu décisif
timing	→ calendrier, minutage
top niveau	→ haut niveau
tour operator	→ voyagiste
trackball	→ boule de commande
training	→ entraînement, formation, instruction
trust	→ fiducie
tuner	→ syntoniseur
tuning	→ accord
upgrade	→ évolution, mise à niveau
video-clip	→ bande vidéo promotionnelle, bande promo
videoshopping	→ vidéo-achat
voucher	→ bon d'échange, coupon
walkman	→ baladeur
workshop	→ rencontre interprofessionnelle
wysiwyg	→ tel écran – tel écrit

L' ÉVOLUTION DU SENS DES MOTS

« Les mots ne conserveront pas un éclat et un crédit éternel.
Beaucoup renaîtront, qui ont aujourd'hui disparu,
beaucoup tomberont, qui sont actuellement en honneur,
si le veut l'usage, ce maître absolu, légitime, régulier, de la langue. »
(HORACE, *Art poétique*)

Étudier l'évolution du sens, ou évolution sémantique d'un mot, c'est étudier ses modifications de sens au cours du temps :

L'adjectif *débile* a d'abord signifié « faible », « malingre » au sens physique du terme avant de prendre le sens moderne de « débile mental », ou d'« idiot » dans la langue familière.

« Sémantique » vient du grec *sêmainein*, « signifier ».

■ **L'étude de l'évolution sémantique d'un mot permet de répertorier les différents sens par lesquels un mot est passé depuis sa création.**

Tous les mots ont certes un sens premier ou sens étymologique, mais ils évoluent et ont tendance, au fil des siècles, à s'en éloigner.

On peut distinguer :

■ les mots qui ont gardé dans l'usage moderne leur sens étymologique : *feuille, ouverture, viaduc...*

■ les mots restés en usage dans notre langue, mais avec un sens éloigné, voire complètement différent du sens originel :

« embrasser » qui vient du nom « bras », signifie à l'origine « prendre dans ses bras » ; ce n'est qu'au XVIIe siècle qu'apparaît le sens de « donner un baiser » ;

■ les mots dont le sens premier est définitivement sorti de l'usage moderne, mais encore employés dans certaines locutions figées dont nous ne comprenons plus que le sens global :

bayer (ouvrir) dans « bayer aux corneilles »
couvert (toit) dans « le vivre et le couvert »
férir (frapper) dans « sans coup férir »
pou (coq) dans « fier comme un pou »
vif (vivant) dans « mort ou vif ».

L'oubli du sens étymologique a parfois conduit à une réinterprétation totalement différente du sens de ces expressions.

(➡ « Si le sens m'était conté », page 51.)

Comment le sens des mots s'est-il modifié ?

■ **Un mot peut voir son sens modifié en intensité**

▬ **soit par affaiblissement de sens :**
Dans ce cas, le mot s'éloigne de son sens étymologique en perdant de sa force. En effet, les mots s'usent comme des objets et beaucoup de mots traduisant des sentiments ou des émotions ont gardé ce sens étymologique jusqu'au xviie siècle, moment à partir duquel leur force a commencé à décroître pour les conduire en l'état de signification où nous les connaissons maintenant.

Le mot « charme », au sens premier, désigne une formule d'incantation et l'effet magique qu'elle produit, l'objet qui produit cet effet magique. Puis « charme » ne désigne plus que l'attrait mystérieux et puissant qu'exerce sur nous un être, une chose et enfin la qualité d'un être ou d'une chose qui plaît extrêmement (sans plus aucune idée de magie).

▬ **soit par renforcement de sens :**
Le mot augmente en vigueur et adopte un sens plus fort qu'à l'origine.

« Maîtresse » désigne jusqu'au xviie siècle une femme ou une jeune fille aimée en dehors de toute relation charnelle et plus particulièrement une femme que l'on veut épouser, une fiancée. Aujourd'hui, une « maîtresse » est une femme qui accorde ses faveurs à un homme sans être son épouse.

■ **Un mot peut voir l'étendue de son sens modifiée**

▬ **soit par restriction de sens :**
Un mot employé à l'origine dans un sens général a pris au fil du temps un sens spécialisé. C'est le phénomène le plus courant.

Le mot « viande » désigne à l'origine ce qui sert à la vie, une nourriture quelconque, un aliment. Aujourd'hui, le mot « viande » ne s'emploie plus que pour parler de la nourriture constituée par la chair des animaux autres que le poisson.

▬ **soit par extension de sens :**
Le mot acquiert un sens plus général qu'à l'origine.

À l'origine, le nom « corvée » s'appliquait à un travail collectif que les paysans, dans le système féodal, se devaient d'effectuer pour le seigneur sans aucune rémunération. Il ne subsiste plus dans le sens moderne que l'idée d'une tâche pénible, souvent exécutée à contrecœur.

Le triangle de l'évolution des mots

Il faut bien comprendre que les mots n'ont pas tous la même **puissance d'information**.

Le mot « cœur », par exemple, qui peut désigner un organe mais aussi la gentillesse, le centre (*le cœur d'une affaire*)… est moins précis qu'un mot comme « pancréas » qui ne renverra jamais qu'à un organe particulier.

Plus un mot est utilisé dans des contextes différents, plus son sens va s'élargir, plus il va renvoyer à des significations différentes.

Ainsi, « cinématographe », qui désignait strictement au début un appareil de projection, a petit à petit gagné des sens en étant utilisé dans des contextes différents. Il peut désigner le lieu (*je vais au cinéma*) ou encore l'art (*j'aime le cinéma*)…

On peut ainsi dire que plus un mot est utilisé dans des contextes différents, moins son sens est précis.

On comprendra donc que l'on ait tendance à raccourcir les mots qui, devenant très fréquents, perdent de leur précision, afin d'adapter l'effort de prononciation qu'ils nécessitent à la précision sémantique qu'ils offrent :

cinématographe → cinéma → ciné

Archaïsmes et néologismes

Le sens des mots évolue, se modifie en fonction des besoins des locuteurs.
Il arrive pourtant que l'émergence d'une réalité nouvelle nécessite la création d'un mot nouveau pour la désigner ou, qu'au contraire, l'on éprouve pour y répondre le besoin d'arracher au passé tel mot ou tel sens aujourd'hui disparus.

■ **On appelle néologisme**

▬ **un mot nouveau, créé pour désigner une réalité nouvelle :**
nobélisable, solderie, viennoiserie…

▬ **un mot nouveau emprunté à une langue étrangère :**
discount, fastfood, jacuzzi, paparazzi, software…

▬ **un mot ancien employé dans un sens nouveau :**
Pirate désignait à l'origine un aventurier pilleur de navires ; il prend un sens nouveau au xxe siècle dans l'expression *pirate de l'air.*

▬ **un mot nouveau dérivé à partir d'un sigle :**
B.D. → *bédéphile, C.G.T.* → *cégétiste, E.N.A.* → *énarque, O.P.A.* → *opéable…*

▬ **un mot ancien qui a changé de forme par abrégement** (avec parfois des modifications graphiques) :
apéritif → *apéro, cinéma* → *ciné, provocation* → *provoc, restaurant* → *resto…*

L'emploi de néologismes peut aussi relever d'un désir de fantaisie, et devenir poétique, comme dans ce passage de Raymond Queneau (*Exercices de style*) :
*Dans un hyperautobus plein de **pétrolonautes**, je fus martyr de ce **microrama** en une **chromie** de **métaffluence** [...]*
(➡ « Les mots forgés », page 234.)

■ **On appelle archaïsme**

▬ **l'emploi d'un mot vieilli, disparu de la langue commune :**
*Les feuilles vont **choir**.*
*Je n'ai pas eu l'**heur** de lui plaire.*

▬ **l'emploi d'un mot de la langue actuelle dans un sens disparu :**
chef au sens de « tête », *gens* au sens de « domestiques »...

L'archaïsme relève, « pimente » la langue.

Il permet des effets de style, comme dans ces vers où Apollinaire emploie une forme du vieux verbe *douloir* (= souffrir) et fait du même coup un jeu de mots sur *deux* et *seul* :
Et je me deux
D'être tout seul.

(Guillaume Apollinaire, *Le Guetteur mélancolique*)

De l'utilité de s'intéresser à l'évolution du sens des mots

■ La méconnaissance de l'étymologie et de l'évolution du sens d'un mot peut être à l'origine d'erreurs d'interprétation ou d'emplois incorrects.

▬ Des **contresens** fâcheux.
Les œuvres des XVIe, XVIIe, XVIIIe siècles comportent bon nombre de mots auxquels un lecteur moderne serait tenté de donner leur sens actuel.
Or, dans les textes de cette époque, ces mots sont encore très proches du sens étymologique. L'exemple le plus célèbre est peut-être ce vers tiré du *Cid* de Corneille, où le mot « cœur » signifie « courage » et non « bonté » :
Rodrigue, as-tu du cœur ?
(➡ « Petit lexique de la langue classique », page 58.)

▬ Des **impropriétés** fréquentes dans la langue quotidienne.
au jour d'aujourd'hui, s'avérer faux, commémorer un souvenir...
(➡ « L'étymologie au secours du bon sens », page 41.)

■ N'oublions pas l'intérêt, le plaisir, l'amusement que l'on éprouve à partir à la recherche du sens perdu des mots !

SI LE SENS M'ÉTAIT CONTÉ...

Beaucoup d'expressions populaires que nous employons au quotidien sont extrêmement anciennes.

Avec le temps, elles ont parfois changé de sens ou, lorsqu'elles ont gardé leur sens étymologique, les utilisateurs modernes que nous sommes ne sont plus toujours en mesure de le comprendre comme le montrent les quelques exemples suivants...

À la queue leu leu

« Marcher à la queue leu leu » signifie « marcher l'un derrière l'autre » comme étaient censés marcher les loups.
En effet, le mot « leu » est l'ancienne forme du mot « loup ».
Quant au redoublement « leu leu », il résulte d'une erreur ancienne d'écriture qui a consisté à remplacer l'article « le » par « leu », « à la queue le leu », signifiant « à la queue le loup ».

Avoir du pain sur la planche

« Avoir du pain sur la planche », c'est avoir beaucoup de travail en réserve, beaucoup de tâches à accomplir.
À l'origine, cette expression avait un sens différent : celui d'avoir des ressources pour l'avenir, et donc d'être certain de ne manquer de rien.
Ce sens ancien s'explique aisément par référence aux paysans qui avaient pour habitude de faire eux-mêmes leur pain, qu'ils fabriquaient pour plusieurs jours et qu'ils rangeaient sur une planche fixée au plafond. On peut penser que le passage du sens ancien au sens moderne s'est fait sur l'assimilation suivante : qui dit « pain », dit « travail en réserve ». À moins qu'on ne soit passé de l'idée du pain déjà cuit, rangé sur la planche, au pain prêt à cuire disposé sur la planche que le boulanger met au four.

Avoir maille à partir

« Avoir maille à partir » avec quelqu'un, c'est avoir un différend avec lui.
La « maille » était, sous les Capétiens, la plus petite monnaie qui valait un demi-denier. Le verbe « partir » signifiant à cette époque « partager », on comprend aisément ce que pouvait avoir de critique la situation qui consistait à partager un demi-denier avec quelqu'un.

Avoir une ardoise

« Avoir une ardoise », c'est avoir un compte, des dettes, dans un café ou chez un commerçant.
Cette expression est née de l'habitude qu'avaient les cafetiers de noter les dettes de leurs habitués sur une ardoise.

Bayer aux corneilles

« Bayer aux corneilles », c'est perdre son temps en regardant en l'air niaisement.
« Bayer » (ou béer) n'est pas l'action de faire un bâillement mais simplement le fait de garder la bouche grande ouverte, la « bouche bée » du niais ou de l'innocent qui perd son temps à regarder toute chose avec étonnement.

Courir comme un dératé	« Courir comme un dératé », c'est courir très vite. Les Anciens, champions incontestables de la course à pied, avaient mis au point certaines mixtures destinées à traiter la rate de leurs champions, rate que l'on rendait responsable du pénible « point de côté ». Forts de ce constat, certains chirurgiens de la Renaissance proposèrent tout naturellement de pratiquer l'ablation de l'organe. Leur proposition n'eut heureusement que peu de succès et c'est par dérision qu'est née l'expression « courir comme un dératé », comme quelqu'un à qui l'on aurait enlevé la rate.
La douche écossaise	La « douche écossaise » désigne le passage brutal d'une situation très agréable à une situation très désagréable. Cette expression figurée est empruntée au domaine médical, puisque, en hydrothérapie, on appelle « douche écossaise » une douche qui alterne jets d'eau chaude et jets d'eau froide.
En odeur de sainteté	Cette expression, empruntée au vocabulaire religieux, fait référence à l'odeur suave que dégageraient les corps des saints défunts. D'où le sens figuré de cette expression qui s'emploie surtout avec les verbes « être » et « mourir » et qui signifie « être en état de perfection spirituelle » : *Il est mort en odeur de sainteté.* Par ailleurs, il faut noter qu'à partir du XVIe siècle, le mot « odeur » désigne métaphoriquement l'impression favorable ou non que l'on produit sur autrui, et par conséquent la réputation, bonne ou mauvaise, que l'on a. D'où l'expression familière « ne pas être en odeur de sainteté auprès de quelqu'un » qui signifie « être mal vu de lui ». Et pour en finir avec les odeurs, notons que c'est la même idée que l'on retrouve dans la locution « ne pas pouvoir sentir quelqu'un ».
Entre la poire et le fromage	La façon dont se déroulent nos repas modernes nous laisse sceptiques quant à la logique de succession des mets dans l'expression « entre la poire et le fromage ». Il faut savoir que dans les banquets d'antan la poire, fruit extrêmement apprécié, tout comme la pomme d'ailleurs, faisait office de « trou normand ». Ce n'est qu'après avoir dégusté ce fruit juteux que l'on mangeait le fromage. C'est pourquoi l'expression « entre la poire et le fromage » a d'abord signifié « vers la fin du repas ». Cette pause dans le repas était l'occasion d'échanger des propos détendus entre convives repus. D'où, par extension de sens, le fait qu'on a désigné par ces termes « un moment de conversation libre et détendu », comme sur la fin d'un repas. La gastronomie a fini par perdre ses droits et cette locution

ne garde plus aujourd'hui que sa valeur temporelle pour désigner un laps de temps entre deux événements, un moment perdu.

Espèces sonnantes et trébuchantes

Payer en « espèces sonnantes et trébuchantes », c'est payer en argent liquide.
À l'époque où le chèque et la carte de crédit n'existaient pas, le contrôle de l'aloi d'une pièce d'or ou d'argent se pratiquait de deux façons différentes : la première opération consistait à faire sonner la pièce sur un coin de table pour vérifier son authenticité, d'où « sonnante ». À cela s'ajoutait, pour les pièces neuves, la vérification du poids au moyen d'une petite balance de précision réservée à cet usage : le trébuchet. La pièce devait donc être « trébuchante », c'est-à-dire faire le poids requis.

Être fier comme un pou

On dit de quelqu'un de très orgueilleux qu'il est « fier comme un pou ».
Il faut voir dans le mot « pou »la forme vieillie « poul » ou « pol », nom ancien du mâle de la poule, le coq.
On est donc en présence d'une expression tout à fait équivalente de « fier comme un coq ».

Être sur la sellette / mettre sur la sellette

« Être sur la sellette », c'est être accusé ; c'est aussi être celui dont on parle, dont on examine les torts et les mérites.
« Mettre quelqu'un sur la sellette », c'est l'interroger, le questionner comme un accusé.
Le sens de ces expressions s'éclaire immédiatement lorsqu'on sait que la sellette était autrefois un petit tabouret sur lequel on faisait asseoir les accusés pour les interroger.

Faire bonne chère

Cette expression, qui signifie aujourd'hui « faire un bon repas », n'a aucun rapport à l'origine avec le mot « chair » comme on pourrait s'y attendre.
Le mot « chère » vient du latin *cara* qui signifie « visage ».
« Faire bonne chère » signifie donc au départ « faire bonne figure » en signe d'amitié, donc « faire bon accueil ». Comment faire bon accueil à quelqu'un si ce n'est en lui offrant un bon repas ?
C'est ainsi que s'est opéré le glissement jusqu'au sens moderne que nous connaissons.

Faire long feu

Cette expression est empruntée au langage technique des artificiers.
« Fait long feu », dans ce contexte, l'amorce qui s'allume trop lentement pour pouvoir faire exploser la cartouche.
C'est cette idée d'opération « ratée » que l'on retrouve dans le sens moderne de la locution : « échouer, ne pas produire l'effet escompté ».

Filer un mauvais coton	« Filer un mauvais coton », c'est voir sa santé, sa situation se dégrader dangereusement.
	Cette expression nous ramène à l'époque des machines à tisser. On disait alors d'une machine, lorsqu'elle n'était plus toute neuve, qu'elle filait un mauvais coton ou un vilain coton. On est passé de l'idée d'une mécanique usée à celle d'un état défectueux sur le plan de la santé ou des affaires.
Le haut du pavé	« Tenir le haut du pavé », c'est jouir d'une situation supérieure, notamment d'une situation sociale enviable.
	Pour comprendre la signification de cette expression, il faut savoir à quoi ressemblaient les rues il y a quelques siècles. On ne connaissait pas le macadam et le seul revêtement utilisé, lorsqu'il y en avait un, était le pavé.
	Le haut du pavé désignait la partie la plus proche des maisons et qui était légèrement surélevée par rapport au centre de la rue, construit en renfoncement pour un meilleur écoulement des eaux usées.
	On comprend dès lors que cette partie haute et sèche du pavé, ancêtre lointain de nos trottoirs, constituait la « partie noble » par opposition au bas du pavé souillé. Et lorsque deux personnes étaient amenées à se croiser, c'était au personnage le plus important, reconnaissable à son habit, que revenait le haut du pavé, le plus pauvre devant se résoudre à patauger pour poursuivre son chemin.
Les jours ouvrables	Les « jours ouvrables » s'opposent aux « jours fériés ».
	L'adjectif « ouvrable » n'a aucun rapport avec le verbe « ouvrir » comme on pourrait le penser par référence à l'ouverture ces jours-là des magasins, des usines, des administrations, etc. « Ouvrable » vient de l'ancien verbe « ouvrer » qui signifiait travailler (d'où les mots « ouvrage, ouvrier, œuvre »).
	Les jours ouvrables sont les jours de la semaine où l'on travaille, par opposition au dimanche, jour du Seigneur, et autres jours fériés.
Mener une vie de bâton de chaise	« Mener une vie de bâton de chaise », c'est mener une vie agitée, déréglée.
	Il s'agit ici de la chaise à porteur, et des deux bâtons de bois qui servaient à la transporter. Outre les embouteillages et l'encombrement des rues, le porteur, sa chaise et les bâtons de ladite chaise étaient soumis à rude épreuve.
Mener une vie de patachon	« Mener une vie de patachon », c'est mener une vie agitée et ouverte à tous les plaisirs.
	Le « patachon » désignait au siècle dernier le conducteur de la « patache », diligence peu confortable réservée aux plus démunis. Les conducteurs de ces guimbardes, toujours sur les

routes, n'hésitaient pas à se désaltérer copieusement lors des étapes de relais !

Mettre à l'index

« Mettre quelqu'un ou quelque chose à l'index », c'est le condamner, l'exclure.

Cette expression fait référence au catalogue des livres dont le Saint-Siège interdit la lecture, pour des raisons de doctrine ou de morale : l'Index, avec une majuscule. La condamnation ne touchait pas ces seuls ouvrages, mais aussi leurs auteurs et leurs impies lecteurs.

Cette expression fut « laïcisée » et remise au goût du jour par les organisations ouvrières du siècle dernier qui préconisèrent la « mise à l'index » des patrons qui ne respectaient pas les conventions salariales.

N'être pas dans son assiette

« *Je ne suis pas dans mon assiette aujourd'hui, je ne suis pas dans mon état normal, je ne me sens pas bien.* »

Quel rapport avec la pièce de vaisselle que nous connaissons ? Aucun.

Le mot « assiette », dérivé du même mot latin que « asseoir » et « assise », a d'abord signifié « manière d'être assis ou posé ». C'est ce sens propre que l'on retrouve aujourd'hui encore dans des expressions comme « la bonne assiette d'un cavalier sur sa selle » ou l'« assiette d'un sous-marin », son équilibre.

Puis, par extension de sens, « assiette » a désigné « l'état d'esprit, la disposition normale » au physique comme au moral.

Passer l'arme à gauche

« Passer l'arme à gauche », c'est mourir.

Cette expression est empruntée au vocabulaire des maîtres d'armes.

Le duelliste tenait, lorsqu'il était droitier bien sûr, son fleuret dans la main droite. « Faire passer le fleuret à gauche » revenait à l'arracher des mains de son adversaire, à le priver de son arme et donc à le tuer.

Il faut ajouter à cette explication la connotation maléfique dont est chargé depuis toujours le mot « gauche », par opposition à « droite ».

Quant au verbe « passer », il peut signifier à lui seul « mourir » : *Elle a passé.*

Tous ces éléments ont incontestablement contribué au succès et à la survie de cette expression.

Réclamer à cor et à cri

Réclamer, vouloir quelque chose « à cor et à cri », c'est demander en insistant.

Il s'agit d'une métaphore empruntée au domaine de la vénerie. Dans cette expression, le mot « cor » (et non « corps ») désigne en effet l'instrument, le cor de chasse, qui, lors des chasses à courre ponctuait, sous forme d'airs variés et codifiés, les différentes phases de la poursuite. À ces sonneries se mêlaient appels de voix et cris, d'où « à cor et à cri ».

Ronger son frein	« Ronger son frein », c'est contenir avec difficulté son impatience ou son dépit, comme le cheval impatient d'être à l'arrêt et qui mâche nerveusement le mors, le frein coincé entre ses dents.
Sabler le champagne	Lorsqu'on veut fêter un événement heureux, on boit du champagne, on sable le champagne.

Le verbe « sabler » signifiait autrefois « boire très vite, d'un trait, du vin ou de l'alcool », en quelque sorte boire « cul sec », en comparaison du liquide absorbé avec un métal en fusion que l'on verse dans un moule de sable très fin. L'emploi du verbe « sabler » s'est spécialisé pour n'être plus réservé qu'au seul champagne.

Quant à l'idée de rapidité, elle a totalement disparu dans l'expression « sabler le champagne » et c'est tant mieux pour les amateurs de bon vin !

S'habiller de pied en cap	« De pied en cap » signifie « des pieds à la tête ».

Le mot « cap » (sans -e) désignait en occitan la tête.

L'expression fut d'abord réservée à l'habillement du chevalier, « s'armer de pied en cap », voulant dire « revêtir l'armure complète ».

Elle s'emploie maintenant hors du contexte guerrier ou militaire.

Sucrer les fraises	L'expression familière « sucrer les fraises » s'emploie à propos de quelqu'un qui est agité d'un tremblement et, par extension, de quelqu'un de gâteux.

On pourrait voir là l'expression imagée du tremblement volontaire de celui qui veut saupoudrer ses fraises avec du sucre avant de les manger.

En fait, si la comparaison est pertinente, elle n'en est pas moins inexacte. L'origine de cette expression remonte à l'époque où la mode était de porter des collerettes plissées et empesées appelées « fraises ». L'usage voulait qu'à la même époque l'on utilisât en guise de gel sur les perruques du sucre mêlé à de l'eau. Les plus maladroits, souvent les plus âgés, saupoudraient un peu trop généreusement leur perruque, et retrouvaient l'excédent sur leur collerette !

Tomber dans le lac(s)	Dire d'un projet qu'il est « tombé dans le lac » ou qu'il est « tombé à l'eau », c'est dire qu'il a échoué.

À l'origine, il ne s'agissait pas d'une étendue d'eau (*lac*), mais du « lacs », écrit avec un s, qui désignait un nœud coulant destiné à piéger le petit gibier, c'est-à-dire un collet. On continue d'ailleurs à employer ce mot sous la forme de son diminutif « lacet » (de chaussure).

« Tomber dans les lacs » signifiait donc « tomber dans le piège ».

Par suite d'homonymie, « lac » s'est substitué à « lacs » si bien que dans cette expression le mot « lacs » s'écrit aujourd'hui le plus souvent sans -s. C'est par analogie que s'est forgée l'expression parallèle « tomber à l'eau ».

Tomber dans
le troisième dessous

« Tomber » ou « être dans le troisième dessous », c'est tomber (ou être) dans la misère, l'accablement, c'est tomber très bas. Cette expression s'est longtemps conservée avec le numéral « trois », par référence aux trois étages de sous-sol de la scène d'un théâtre où l'on entreposait les accessoires et les machineries. On disait d'une pièce qui avait échoué qu'elle était tombée dans le troisième dessous.
Cette expression s'est généralisée pour qualifier une situation d'échec, de discrédit.
Il s'est même établi une surenchère : on est passé du troisième au trente-sixième dans la variante « tomber dans le trente-sixième dessous » !

PETIT LEXIQUE
DE LA LANGUE CLASSIQUE

Un aspect important de la langue du xvııᵉ siècle tient au fait que les mots sont encore employés avec leur sens étymologique. Le sens moderne, celui que nous connaissons aujourd'hui, commence à peine de rentrer dans l'usage. C'est pourquoi la lecture des textes de cette époque peut donner lieu à de nombreux contresens et à une mauvaise interprétation. Voici la signification des mots les plus fréquemment détournés de leur sens par un lecteur moderne :

Abusé : trompé
Accident : sort heureux ou malheureux
Admirer : s'étonner, regarder avec stupeur
Adresse : artifice, ruse
Affection : amour
Affliger : accabler
Aigrir : irriter
Aimable : qui doit être aimé
Alarme : terreur, souci
Allégeance : soulagement de la douleur
Amant : prétendant, soupirant qui aime et est aimé en retour
Amitié : amour, affection profonde
Amoureux : qui aime sans être payé de retour
Amusement : retard, perte de temps
À peine : avec peine
Appareil : préparatifs, apprêts
Appas : charmes, attraits
Ardeur : amour, passion
Arrêter : décider
Assez : trop
Assiéger : harceler, obséder
Assommer : frapper de stupeur
Assurer : rendre sûr ; mettre en confiance
Attentat : châtiment
Audace : insensibilité, fierté farouche
Aventure : accident, événement inopiné
Avis : renseignement, avertissement

Badinage : sot bavardage
Balancer : hésiter
Bassesse : rang social bas et obscur
Bénin : doux, favorable
Brave : courageux
Bruit : nouvelle ; querelle, démêlé
Brûler pour quelqu'un : en être épris
Brutal : grossier, qui tient de la bête brute

Cabinet : armoire, secrétaire : « mettre au cabinet », mettre au fond d'un tiroir, garder pour soi (au lieu d'exposer au public)
Caresser : témoigner de l'amitié par des démonstrations
Caresses : amabilités, égards
Céans : ici
Cependant : pendant ce temps
Chagrin(s) : fâcheuse, mauvaise humeur ; tristesse profonde, accablement, tourments
Charmant : qui envoûte, ensorcelle
Charme : chant, action magique, attirance irrésistible
Chef : tête
Cœur : qualités de caractère, courage, vaillance
Commettre : exposer à un danger
Commerce : relations, fréquentation
Confidence : confiance
Confondre : bouleverser, déconcerter, réduire à l'impuissance
Confondre (se) : s'affoler
Confusion : affolement, trouble
Consulter : examiner
Coquine : femme sans honneur et friponne
Courage : cœur, force morale
Crime : péché

D'abord : le premier, tout de suite
Débiter : raconter
Débris : reste de fortune
Décevant : trompeur
Décevoir : tromper
Découvrir : révéler
Déguisements : moyens employés pour masquer sa pensée
Déplaisir : désespoir, souffrance

Déplorable : dont le sort est digne d'être pleuré
Dérober (se) : s'enfuir en cachette
Désabuser : détromper
Destin : enchaînement inévitable des événements (sens voisin de fortune et de sort)
Détester : maudire
Diligence : soin attentif, activité empressée
Disgrâce : événement malheureux
Disputer : discuter, débattre
Dissimuler : faire semblant
Distraire : détourner

Éclaircir : éclairer
Éclairer : surveiller, espionner
Effets : actes, faits
Égarer : fourvoyer
Embarrasser : entraver
Embrasser : entourer de ses bras ; se charger de
Émouvoir : mettre en mouvement, ébranler
Enchanter : envoûter, ensorceler
Énerver : affaiblir
Ennui : désespoir, tourment, chagrin violent
Entendre : comprendre
Envier : ne pas accorder, priver de
Équipage : tout ce qui constitue le train de vie extérieur ou intérieur : valets, chevaux, carrosses, habits, etc.
Essuyer : subir, endurer
Estime : bonne ou mauvaise opinion qu'on a d'une personne ou d'une chose
Estomac : poitrine
État : marques extérieures, tenue
Étonnant : effrayant
Étonner : frapper comme le tonnerre, frapper de stupeur
Examiner : juger
Expliquer : découvrir, faire connaître
Exposer : montrer, présenter

Fable : invention
Fâcher : causer un très vif déplaisir
Fâcheux : importun
Fantaisie : imagination
Fardé : déguisé, trompeur
Fat : sot, coquin
Fatal : qui a rapport au destin, fixé par le destin

Fers : les chaînes de l'amour
Feu : amour
Fieffé : assuré, complet
Fier : cruel, sauvage
Figure : aspect général d'une personne
Fils (mon) : terme d'amitié, sans idée de lien de parenté
Flamme : désir amoureux
Flatter : tromper ; encourager, rassurer
Foi : fidélité, parole donnée
Formidable : redoutable, qui inspire de l'effroi
Fortune : sort, et ce qu'il donne en partage
Foudre : colère
Funeste : mortel, effrayant comme la mort ou marqué du signe de la mort
Fureur : manifestation délirante de la colère, de la douleur ; folie
Furieusement : terriblement, extrêmement

Gager : parier
Galant : élégant, distingué ; amant
Galanterie : intrigue amoureuse
Gêne : torture, supplice
Gêner : tourmenter, torturer
Généreux : noble, courageux
Gens : domestiques
Gloire : honneur, réputation
Grimace : hypocrisie

Habile : savant
Hanter : visiter souvent et familièrement
Hasard : danger
Heur : bonheur, chance
Honnête (homme) : idéal du XVIIᵉ siècle, désigne l'homme du monde, instruit et bien élevé
Humeur : tempérament, caractère, déterminés, pensait-on, par le mélange des quatre humeurs fondamentales : le flegme, le sang, la bile et la mélancolie ou bile noire.
Hymen : mariage

Imbécile : faible, sans force
Impertinence : sottise venant de l'ignorance
Impertinent : sot
Imposture : mensonge, calomnie
Indiscret : qui manque de retenue
Industrie : habileté, ruse

Infamie : honte
Infidèle : qui manque à sa parole, à son devoir
Injure : injustice
Inquiet : incapable de rester en repos
Instruit : informé, averti
Intelligence : entente, harmonie
Irriter : exciter
Intérêt : sentiment très vif

Jaloux : attaché à, soucieux
Juste : justifié, légitime

Ladre : avare
Languir : souffrir, brûler d'amour
Libertin : incrédule, libre-penseur
Licence : permission, liberté
Longueur : lenteur
Lumière : vie

Maison : famille noble ; ensemble des gens attachés au service d'une maison
Maîtresse : jeune fille ou femme aimée ; femme recherchée en mariage, fiancée
Magnifique : généreux, fastueux, dépensier
Malheureux : qui apporte le malheur, fatal
Malice : méchanceté
Manie : folie
Marâtre : belle-mère
Méchant : scélérat, criminel
Méconnaître : ne pas reconnaître
Médiocre : moyen, modéré
Ménage : appartement et ensemble des meubles ; gestion
Ménager (se) : se conduire avec esprit
Mérites : charmes, agréments physiques
Merveilles : choses étonnantes, prodiges, miracles
Merveilleux : surnaturel, miraculeux
Misérable : malheureux
Misère : malheur
Monstre : prodige ; être anormal transgressant les lois de la nature
Munir : fortifier

Naïf : naturel
Naissance : condition sociale élevée
Nécessité : pauvreté
Neveux : descendants, postérité

Nœuds : attachements étroits entre des personnes ; liens du mariage
Nourrir : élever
Nouveau : qui s'ajoute à, imprévu

Objet : personne aimée ; ce qui est placé devant les yeux, spectacle
Obligé : reconnaissant
Obliger : aider
Offenser : gêner
Officieux : qui cherche à rendre service, obligeant
Ombrage(s) : soupçons
Opprimer : accabler, perdre
Ordonner : ranger

Parfait : achevé, complètement fini
Perfide : qui trahit la foi jurée
Plaindre : déplorer
Pompeux : majestueux, plein de solennité
Port : allure, maintien
Poudre : poussière
Poudreux : couvert de poussière (mot noble au XVIIᵉ siècle)
Pourvoir (une jeune fille) : la marier, l'établir
Présence : aspect
Pressant : qui oppresse
Prétendre : revendiquer
Prévenir : devancer
Profane : impur
Prompt à : disposé à, résolu
Publier : rendre public, proclamer hautement, sans modestie

Querelle : cause, parti

Race : famille, maison
Rage : folie
Ranger quelqu'un : contraindre, soumettre
Rasseoir (se) : retrouver son calme
Ravissant : qui transporte d'admiration
Rebuter : repousser, dédaigner
Réciter : faire le récit de
Reposer : dormir, se reposer
Reliques : restes d'un mort (sans nuance religieuse)
Réprouver : rejeter

Ressort: moyen secret
Retarder: empêcher de partir
Retraite: départ; lieu où l'on peut se retirer
Réussir: sortir, résulter
Rompre: déchirer, briser

Sang: race, origine
Sans doute: sans aucun doute, certainement
Savoir: connaître
Séduire: détourner du droit chemin; tromper
Sentiment: opinion, jugement, pensée
Sévère: intransigeant
Sexe: le sexe féminin, les femmes
Sitôt: aussi vite
Soin: au singulier, souci, préoccupation, sollicitude; au pluriel, efforts, zèle; empressement amoureux, assiduités; « rendre des soins » = courtiser
Solennel: qui a lieu une fois par an
Soufflet: gifle
Souffrir: permettre
Soupirer: faire la cour à une femme
Succès: résultat (bon ou mauvais), issue
Suivre: poursuivre
Superbe: orgueilleux, farouche
Surprendre: abuser, tromper

Tempérament: juste milieu, mesure
Tête: personne

Timide: craintif, peureux
Tout à l'heure: tout de suite
Tout d'un coup: d'un seul coup
Tourment: torture
Tracas: bruit, agitation
Trahir: abandonner, livrer à la discrétion de
Train: ensemble des domestiques, chevaux, voitures... accompagnant une personne
Trait: flèche tirée par le dieu de l'amour
Transport(s): manifestation de sentiments vifs (amour, colère, peur...)
Travail / travaux: exploit(s)
Traverser: contrarier, s'opposer à
Triste: funèbre, voué au malheur
Trivial: commun, banal
Trop: très
Troubler: bouleverser, affoler

Vain: vaniteux
Vapeur: hallucination
Vertu: force, énergie
Vider: quitter un lieu, en sortir
Vilain: grossier, vulgaire, digne d'un paysan
Visage: aspect
Visions: idées chimériques, extravagantes
Vœux: amour, désirs amoureux
Vulgaire: commun, banal

Zèle: amour; piété, dévotion

L A DÉRIVATION : PRÉFIXES ET SUFFIXES

« Faire et défaire, c'est toujours travailler. »

La dérivation est un procédé qui consiste, à partir d'un mot de base, à fabriquer un mot nouveau, soit par addition, soit par suppression, soit par remplacement d'éléments appelés préfixes et suffixes :
dé- (préfixe, *séparé de*), **charge** → **décharge** (lieu où l'on dépose la charge, où l'on s'en sépare)
charg(e), -ement (suffixe, *action*) → **chargement** (action de charger)
dé-, charg(e), -ement → **déchargement** *(action de déposer la charge, de s'en séparer)*

Notre vocabulaire, constitué à l'origine de mots hérités du latin et de mots empruntés à d'autres langues, n'a cessé de s'enrichir de mots de création française, fabriqués au moyen de préfixes et de suffixes.

■ **Préfixes et suffixes viennent s'ajouter à un mot de base appelé « radical ».**
Les mots de sens nouveau ainsi créés sont des **dérivés**.

Prenons le mot *déchargement* ; il est constitué de :
un préfixe : **dé-**   un radical : **charg(e)**   un suffixe : **-ement**
Le préfixe précède le radical, le suffixe le suit.

■ **On appelle famille de mots tous les mots formés sur un même radical :**
charge (radical) → **charg**er, **charg**eur, dé**charg**er, re**charg**er, dé**charge**, dé**char-**
gement, re**charge**...

Cependant, le radical ne se présente pas toujours sous la même forme d'un mot à l'autre d'une même famille :
acheter et *achat* sont deux mots de la même famille ; pourtant le radical contient un **a** dans *achat* et un **e** dans *acheter*.

En effet, il n'existe pas toujours, pour un radical donné, le nombre suffisant de dérivés dont la langue aurait besoin.

Prenons le nom *été*, il n'existe pas d'adjectif directement dérivé. Il en est de même pour des noms comme *dimanche, cœur, siècle...*
Le mot dont on a besoin a alors été forgé sur un radical renvoyant au mot latin :
été → *estival*
dimanche → *dominical*
cœur → *cordial*
siècle → *séculaire*

Dans ce cas, la famille de mots ne se forme plus à partir d'un radical commun, mais constitue une famille étymologique.

■ **La famille lexicale d'un mot est constituée de l'ensemble des mots apparentés par le sens et la forme.**
Par exemple, appartiennent à la famille de «rompre» des mots comme «interrompre»; appartiennent à la famille de «rupt-» des mots comme «rupture, interrupteur...».

■ **La famille étymologique d'un mot est constituée de mots qui peuvent présenter des formes et des sens variés.**
Sont issus du latin *rumpere, ruptum* → «rompre, route, roture...».

Les différents types de dérivation

■ **La dérivation propre** s'effectue au moyen :
– d'un préfixe :
  dire → **re**dire
– d'un suffixe :
  sabot → *sabot**ier***
– d'un préfixe et d'un suffixe :
  port → **exportation**
– de plusieurs préfixes ou suffixes :
  maille → **démailler** → **indémaillable**

■ **La dérivation régressive** s'effectue par suppression d'un suffixe.
Elle se fait généralement à partir de verbes :
  *port**er*** → *port*
  *chant**er*** → *chant*
  *demeur**er*** → *demeure*

■ **La dérivation impropre** s'effectue sans modification de forme, mais par changement de catégorie grammaticale.

▬ Un nom propre peut devenir nom commun :
  un harpagon, une poubelle, un apollon, une vénus...

(→ «Ces noms propres devenus communs», page 81.)

▬ Un nom commun peut devenir :
→ un adjectif : *une jupe **rose**, un sourire **chagrin***
→ un pronom : ***personne** n'est venu, je mangerais bien quelque **chose***
→ un locution adverbiale : *à **cœur joie**, par **hasard***
→ une interjection : ***Ciel**! **Diable**!*

→ une préposition : *en* **raison de**, **grâce** *à*
→ une locution conjonctive : *du* **moment** *que, à* **condition** *que*

■ Un adjectif peut devenir :
→ un nom : *le* **beau**, *le* **rouge**, *le* **noir**
→ un adverbe : *parler* **haut**, *crier* **fort**
→ une interjection : **chic** *!* **parfait** *!* **vrai** *!*
→ une préposition : **sauf, plein**

■ Un infinitif peut devenir un nom :
le **dîner**, *le* **sourire**, *le* **devoir**, *le* **repentir**...

■ Un participe peut devenir :
→ un adjectif : *un enfant* **fatigué**, *une nouvelle* **étonnante**
→ un nom : *un* **reçu**, *un* **acquis**
→ une préposition : **durant** *le cours*

■ Un adverbe peut devenir :
→ un nom : *un* **avant**, *un* **arrière**
→ un adjectif : *une fille* **bien**, *une fille pas* **mal**

Sens et valeur du préfixe dans la formation d'un mot

■ **L'addition d'un préfixe à un mot ne change pas la classe grammaticale de ce mot :**

■ préfixe + nom → nom
nom → **pré**nom

■ préfixe + adjectif → adjectif
heureux → **mal**heureux

■ préfixe + verbe → verbe
faire → **dé**faire

■ **L'addition d'un préfixe à un mot change sa signification :**
le nom / le **pré**nom
heureux / **mal**heureux
faire / **dé**faire

■ **Certains préfixes ont un sens précis.**
C'est le cas, par exemple, du préfixe **pré-** qui signifie dans tous les mots qu'il sert à former « avant » (du latin *prae*) :
préavis, **pré**disposer, **pré**former, **pré**histoire, **pré**molaire, **pré**natal, **pré**nom...

■ **Un même préfixe peut avoir plusieurs sens différents :**
Le préfixe *re-* peut signifier
– « à nouveau » dans : *recopier, redire, refaire, remployer...*
– « en sens inverse » dans : *réagir, revenir, repartir...*
– « complètement » dans : *recouvrir, remplir, récrire...*
(Concernant le sens des préfixes, ➡ page 67.)

■ **Certains préfixes, dans certains mots, ont perdu toute signification.**
C'est le cas de ce même préfixe *re-* dans : *regarder, réjouir, recueillir, rencontrer, renifler...*

Attention !
Un même préfixe peut se présenter sous des formes différentes.
En effet, sa dernière consonne s'assimile généralement à la consonne initiale du radical auquel il est accolé.
Prenons le préfixe *in-* ; il peut se présenter sous la forme *in-* (*inexact ; incroyable*), *im-* devant *b* et *p* (*impensable, imbuvable*), *il-* devant *l* (*illisible, illogique*), *ir-* devant *r* (*irréel, irréalisable*).
De même le préfixe *ad-* dans *adjoindre,* qui devient *ac-* dans *accroître, af-* dans *affaiblir, ag-* dans *aggraver, al-* dans *allonger...*

Sens et valeur du suffixe dans la formation d'un mot

■ **L'addition d'un suffixe à un mot change très souvent la catégorie grammaticale de ce mot, mais ne change pas fondamentalement sa signification.**

L'addition d'un suffixe permet de former :

▬ **des noms**
– à partir d'un autre nom : *fille* → *fillette*
– à partir d'un adjectif : *beau* → *beauté*
– à partir d'un verbe : *écouter* → *écouteur*

▬ **des adjectifs**
– à partir d'un autre adjectif : *rouge* → *rougeâtre*
– à partir d'un nom : *nature* → *naturel*
– à partir d'un verbe : *venger* → *vengeur*

▬ **des verbes**
– à partir d'un autre verbe : *tirer* → *tirailler*
– à partir d'un nom : *fleur* → *fleurir*
– à partir d'un adjectif : *noir* → *noircir*

▬ **des adverbes**
– à partir d'un adjectif : *vrai* → *vraiment*

65

■ **On peut regrouper les suffixes en fonction de la nature grammaticale du mot qu'ils permettent de créer.**

C'est ainsi qu'on distingue :

▬ **les suffixes de noms,** qui peuvent exprimer :
– une action : *baignade, causerie, élevage...*
– le résultat d'une action : *trouvaille, déviation, finition...*
– une profession : *chercheur, boucher, fleuriste...*
– un état : *esclavage, servitude...*

▬ **les suffixes d'adjectifs,** qui peuvent exprimer :
– une qualité, un caractère : *menteur, affectueux, cornu...*
– une capacité, une possibilité : *buvable, éligible, soluble...*

▬ **les suffixes de verbes,** qui peuvent exprimer un état : *verdoyer...*

■ **Certains suffixes ont un sens précis.**
C'est le cas, par exemple, du suffixe *-ible* qui exprime dans tous les adjectifs qu'il sert à former l'idée de possibilité, de capacité :
nuisible, lisible, visible, sensible, risible...

■ **Un même suffixe peut avoir plusieurs sens différents.**
Le suffixe *-ier* peut désigner :

– « un récipient » dans :
bénitier (récipient à eau bénite), *sucrier, saladier...*

– « un arbre (ou une plante) producteur » dans :
prunier, fraisier, framboisier, groseillier...

– « une profession » dans :
chapelier, vannier, pâtissier, glacier...

(Concernant le sens des suffixes, ➠ page 71.)

66

SENS DES PRÉFIXES

PRÉFIXES	ORIGINE	VALEUR	EXEMPLES
a-, ab-, abs-	latin *ab, abs*	loin de	*aversion, s'abstenir*
a-, ad-	latin *ad*	vers	*apaiser, adjoindre*
a-, an-	grec *a, an*	privation, négation	*apesanteur, anormal, analphabète*
anté-, anti-	latin *ante, anti*	avant	*antécédent antichambre*
anti-	grec *anti*	qui est contre	*antidote, antibiotique*
apo-	grec *apo*	éloignement	*apostasie*
arch-, archi-	grec *archi*	qui vient avant, qui est au plus haut degré	*archiprêtre, archevêque archifou, archibondé*
bi-, bis-	latin *bis*	deux fois	*bicolore, biscuit*
cata-	grec *cata*	sur, contre, de haut en bas	*cataplasme catastrophe*
circon-	latin *circum*	autour	*circonlocution*
cis-	latin *cis*	en deçà	*cisalpin*
co-, col-, com-, con-, cor-	latin *cum*	avec	*collaborateur, communion, concitoyen, correspondance*
contra-	latin *contra*	contre	*contradiction*
dé-, dés, dis-	latin *dis*	séparé de, qui a cessé de, différent	*débrancher, disjoindre, déplier, désaccord, dissemblable*
di-	grec *di*	double	*diode, diptyque*
dia-	grec *dia*	séparation, à travers	*diaphragme, diagonale*

PRÉFIXES	ORIGINE	VALEUR	EXEMPLES
dys-	grec *dys*	mauvais état	**dys**lexie
ec-	grec *ec*	hors de	**ec**chymose
ecto-	grec *ecto*	au-dehors	**ecto**plasme
en-, em-, in-, im-	latin *in*	à l'intérieur, mettre en état de	**en**fermer, **em**baumer, **en**ivrer, **in**cinérer
en-	latin *inde*	loin de	**en**lever, s'**en**fuir
endo-	grec *endo*	à l'intérieur de	**endo**scopie
entre-, inter-	latin *inter*	entre réciproque	**entre**mets, **inter**urbain, s'**entre**tuer
ép-, épi-	grec *epi*	position supérieure, sur	**épi**centre, **épi**derme, **épi**démie
eu-	grec *eu*	bien	**eu**phorie, **eu**thanasie
ex-, ef-, é-	latin *ex*	hors de, qui a cessé	**é**piler, **ef**facer, **ex**patrié
extra-	latin *extra*	extrêmement, hors de	**extra**lucide, **extra**dition
for-, four-, fau-	latin *foris*	hors de	**four**voyer, **fau**bourg
hémi-	grec *hêmi*	moitié, demi	**hémi**cycle
hyper-	grec *hyper*	au-delà de, excès	**hyper**fréquence, **hyper**sensible
hypo-	grec *hypo*	au-dessous de, insuffisance	**hypo**derme, **hypo**glycémie
in-, il-, ir-, im-	latin *in*	privé de	**in**salubre, **il**légal
infra-	latin *infra*	au-dessous	**infra**structure
inter-	latin *inter*	entre	**inter**classe
intra-, intro-	latin *intra, intro*	au-dedans	**intra**musculaire, **intro**verti
juxta-	latin *juxta*	auprès de	**juxta**poser

PRÉFIXES	ORIGINE	VALEUR	EXEMPLES
mal-, mau-	latin male	négation, contre les règles	malchance, maudit, malfaisant
mé-, més-	latin minus	négation, mauvais, mal	méconnaître, méfaire, mésentente
méta-	grec meta	succession, changement	métacarpe métamorphose
mi-	latin medius	milieu	minuit
mono-	grec monos	seul	monotone
non-	latin non	négation	non-sens
outre-, ultra-	latin ultra	au-delà de	outre-mer, ultra-royaliste
par-, per-	latin per	à travers, achèvement	parsemer, parfaire, perfection
para-	grec para	contre, voisin de	parapluie, parasol paramédical
per-	latin per	de part en part	perforer
péri-	grec peri	autour de	périphérique
post-	latin post	après	postnatal
pré-	latin prae	avant	préavis
pro-, por-, pour-	latin pro	en avant, partisan de	projeter, pourparlers pro-américain
r-, ré-	latin re	de nouveau, complètement	réexaminer, recuire remballer
rétro-	latin retro	en arrière	rétroactif, rétrospective
semi-	latin semi	à demi	semi-rigide
sou-, sous-, sub-	latin sub	sous, presque	soumettre, subalterne subaigu
super-, supra-, sur-	latin super	au-dessus, en excès	supranational surproduction

PRÉFIXES	ORIGINE	VALEUR	EXEMPLES
sus-	latin *sursum*	plus haut	**sus**pendu, ci-des**sus**
syl-, sym, syn-, sy-	grec *syn*	avec, ensemble	**sym**étrie, **syn**thèse
tra-, trans-, tré-, tres-	latin *trans*	au-delà de, au travers, vivement	**trans**férer, **tra**versin, **trans**percer, **tres**sauter
tri-, tris-	latin *tri*	trois	**tri**colore
uni-	latin *unus*	un	**uni**forme
vi-, vice-	latin *vice*	à la place de	**vice**-président

SENS DES SUFFIXES DE NOMS

SUFFIXES AJOUTÉS AU RADICAL D'UN VERBE

SUFFIXES	VALEUR	EXEMPLES
-ement, -issement	action, résultat	groupement, agrandissement, ralentissement
-age, -issage	action, résultat	dressage, pilotage, pétrissage
-tion, -ation, -ition	action, résultat	attribution, constatation, finition
-aison	action, résultat	déclinaison, livraison, salaison
-ure, -ature	action, résultat	blessure, dorure, filature
-ade	action	baignade, glissade, rigolade
-erie	action, résultat	fâcherie, tracasserie, tricherie
-is	action, résultat	hachis, roulis, semis
-ance	action, résultat	alliance, espérance, outrance
-ée	action	traversée, veillée
-son	action, résultat	garnison, trahison
-at	résultat	agglomérat, résultat
-eur, -eresse	agent	chasseur, pécheur, pécheresse
-eur, -euse	agent machine	rongeur, balayeur, coiffeuse agrandisseur, couveuse
-ateur, -atrice	agent machine	admirateur, cultivatrice ventilateur, perforatrice
-ier, -ière	agent machine	placier levier, glissière
-eux, -euse	agent qualité	partageuse, rebouteux boiteux, pleurnicheuse
-oir, -oire	instrument lieu de l'action	laminoir, bouilloire fumoir, patinoire

71

-ail, -aille	instrument	fermail, tenaille
	action, résultat	retrouvailles, semailles
-ard, -arde	péjoratif	braillard, vantard, traînarde
-asse	péjoratif	lavasse
-on, -onne	péjoratif	avorton, souillon
-et, -ette	diminutif	jouet, poussette, sonnette
-isme	théorie, principe	arrivisme, dirigisme
-iste	partisan	arriviste, j'm'en foutiste

◼ SUFFIXES AJOUTÉS À DES ADJECTIFS

SUFFIXES	VALEUR	EXEMPLES
-té, -eté, -ité	qualité	beauté, propreté, solidité
-ie	qualité	folie, modestie
	science	économie
-erie	qualité	fourberie, mièvrerie, niaiserie
-eur	qualité	lenteur, moiteur, pâleur
-ise	qualité	bêtise, franchise, vantardise
-esse	qualité	gentillesse, molesse, petitesse
-ude, -itude	qualité	platitude, plénitude
-isme	école, doctrine	américanisme, socialisme
-iste	partisan	socialiste, fataliste
-ance, -ence	action, résultat	vaillance, apparence, insolence
-at	état	anonymat
	qualité	bénévolat
-in, -ine	péjoratif	plaisantin, rouquine

-ard, -arde	péjoratif augmentatif	*soûlarde* *nullard, richard*
-âtre	péjoratif	*bellâtre*
-aud	péjoratif	*lourdaud*
-on, -onne	diminutif	*sauvageon, -onne*
-eron	sorte de	*laideron*

▌ SUFFIXES AJOUTÉS À DES NOMS

SUFFIXES	VALEUR	EXEMPLES
-ier, -ière	métier contenant arbre	*douanier, épicière* *sucrier, cafetière* *pommier*
-er, -ère	métier	*horloger, lingère*
-ien, -ienne	spécialiste appartenance	*mécanicien, pharmacienne* *collégien, milicien*
-iste	métier	*dentiste, ébéniste*
-aire	métier	*disquaire, fonctionnaire*
-eron	métier	*bûcheron, vigneron*
-eur, -euse	agent machine	*camionneur* *moissonneuse*
-eux, -euse	qui s'occupe de qualité	*matheux, violoneux* *coléreux, peureuse*
-age	collectif état	*branchage, outillage* *esclavage, veuvage*
-ade	collectif résultat	*bourgade, colonnade* *œillade, fanfaronnade*
-as	collectif	*plâtras*
-ain, -aine	collectif appartenance	*dizain, centaine* *mondain, républicaine*

-ée	collectif contenu durée	chambrée, tablée bolée, cuillerée matinée, soirée
-ure	collectif, ensemble chimie	armure, denture, toiture bromure, sulfure
-ature	collectif	ossature
-aie	plantation	cerisaie, peupleraie
-ie	collectif science lieu	seigneurie astronomie mercerie
-erie	lieu résultat collectif	poissonnerie, rhumerie ânerie, pitrerie argenterie
-isme	école, doctrine	impressionisme, progressisme
-iste	partisan métier	progressiste chimiste, pianiste
-at, -iat	fonction état	professorat, notariat doctorat
-ise	fonction, état	prêtrise, maîtrise
-é	juridiction	archevêché, vicomté
-ail, -aille	péjoratif collectif instrument	valetaille bétail, ferraille cisaille
-ard	péjoratif	froussard, politicard
-asse	péjoratif	caillasse, paperasse, vinasse
-iche	péjoratif sorte de	boniche barbiche, potiche
-et, -ette	diminutif	agnelet, livret, fillette, tablette
-elle	diminutif	poutrelle, tourelle
-elet, -elette	diminutif	roitelet, osselet, tartelette

-iole	diminutif	bestiole, gloriole
-ule	diminutif	plumule, veinule
-(i)cule	diminutif	groupuscule, monticule
-ille	diminutif	brindille, faucille, flotille
-illon	diminutif	oisillon, portillon
-in, -ine	diminutif	tableautin, chaumine, figurine
-ot, -otte	diminutif familier	cageot, îlot cocotte, frérot
-eau	diminutif	cuisseau, éléphanteau
-on	diminutif partitif	aiglon, capuchon, croûton chaînon, maillon, tronçon
-eron	diminutif	moucheron, puceron
-ite	médecine minerai	appendicite, bronchite calcite, sulfite
-ose	médecine	névrose, tuberculose
-issime	superlatif	généralissime

SENS DES SUFFIXES D'ADJECTIFS

■ SUFFIXES AJOUTÉS À DES NOMS

SUFFIXES	VALEUR	EXEMPLES
-ien, -ienne	originaire disciple relatif à	*italien, parisienne* *sartrien* *crânien, flaubertien*
-in, -ine	originaire relatif à	*levantin, girondine* *enfantin*
-ais, -aise	originaire	*français, marseillaise*
-ois, -oise	originaire	*chinois, niçoise*
-ain, -aine	originaire qualité	*africain, cubaine* *mondain, républicaine*
-an, -ane	originaire partisan	*persane* *mahométan*
-ite	originaire partisan	*annamite* *sodomite*
-ard, -arde	originaire péjoratif augmentatif	*savoyarde* *flemmard, pantouflard* *chançard, veinarde*
-esque	relatif à	*mauresque, moliéresque,* *romanesque, livresque*
-ique, -(a)ïque	propre à relatif à	*magique, judaïque* *bouddhique, jurassique*
-al, -ale	relatif à	*patronal, théâtral, tropicale*
-el, -elle	propre à qui provoque	*constitutionnel, formelle* *accidentel, émotionnel,* *mortelle*
-éen, -éenne	propre à	*herculéen, européen,* *élyséenne*
-able, -ible	qualité	*charitable, effroyable,* *rentable, paisible*
-iste	qualité	*alarmiste, bouddhiste*

-elé, -elée	pourvu de	côtelé, dentelée
-if, -ive	qualité	combatif, offensive
-aire	qualité	bancaire, planétaire, universitaire
-eux, -euse	qualité	crasseux, ferreux, paresseuse
-ueux, -ueuse	qualité	majestueux, tumultueux, talentueuse
-ique	relatif à chimie	méthodique, médiatique, scénique ferrique, sulfurique
-atique	relatif à	dogmatique
-ier, -ière	relatif à agent	betteravier, pétrolier policière
-escent -escente	qualité	fluorescent
-é, -ée	pourvu de	rosé, feuillé, ailé, membré
-u, -ue	pourvu de	poilu, feuillu, ventru
-in, -ine	ressemblance	ivoirin, vipérin, sanguin
-asse	péjoratif	hommasse

■ SUFFIXES AJOUTÉS AU RADICAL D'UN VERBE

SUFFIXES	VALEUR	EXEMPLES
-ant, -ante (suff.verbal)	qualité	apaisant, pétillante
-able	propre à	blâmable, habitable
-ible	propre à	corrigible
-eur, -eresse	agent	vengeur, enchanteresse
-eur, -euse	qualité machine	rieur, trompeuse encreur, étireuse
-if, -ive	qualité	explosif, poussive

-eux, -euse	qualité	boiteux, -euse
-ard, -arde	péjoratif	geignard, vantarde

SUFFIXES AJOUTÉS À DES ADJECTIFS

SUFFIXES	VALEUR	EXEMPLES
-et, -ette	diminutif	clairet, pauvret, proprette
-elet, -elette	diminutif	aigrelet, maigrelet, rondelette
-ot, -ote, -otte	diminutif	pâlot, petiote, vieillot, -otte
-ichon, -ichonne	diminutif	folichon, maigrichonne
-aud, -aude	péjoratif	courtaud, finaud, rougeaude
-ard, -arde	péjoratif	faiblard, vachard, mignarde
-asse	péjoratif	fadasse, molasse, bonasse
-âtre	diminutif péjoratif	rougeâtre folâtre
-ingue	péjoratif (fam.)	lourdingue, sourdingue
-issime	augmentatif	rarissime
-iche	augmentatif (fam.)	fortiche
-ier, -ière	qualité	grossier, droitière
-el, -elle	qualité	continuel
-if, -ive	qualité	maladif, intensif, distinctive
-iste	qualité	fataliste, royaliste
-ain, -aine	qualité	hautain

SENS DES SUFFIXES DE VERBES

SUFFIXES AJOUTÉS À DES NOMS

SUFFIXES	VALEUR	EXEMPLES
-er	factitif	*clouer, goudronner, ripoliner*
-ifier	factitif	*momifier, vitrifier*
-iser	factitif	*alcooliser, bémoliser, coloniser*
-eler	factitif	*bosseler, bretteler*
-eter	diminutif	*moucheter*
-iller	diminutif	*grapiller*

SUFFIXES AJOUTÉS À DES ADJECTIFS

SUFFIXES	VALEUR	EXEMPLES
-er	factitif	*bavarder, griser*
-ir	entrée dans un état	*faiblir, verdir*
-ifier	factitif	*fortifier, simplifier, solidifier*
-iser	factitif	*fertiliser, diviniser, légaliser*
-oyer	factitif	*rudoyer, verdoyer*

SUFFIXES AJOUTÉS AU RADICAL D'UN VERBE

SUFFIXES	VALEUR	EXEMPLES
-ailler	péjoratif fréquentatif	*discutailler, traînailler criailler, tirailler*
-iller	diminutif fréquentatif	*fendiller mordiller*
-ouiller	diminutif péjoratif	*gratouiller crachouiller, pendouiller*

-eter	diminutif, fréquentatif	*craqueter, tacheter, voleter*
-iner	diminutif fréquentatif	*pleuviner, trottiner* *piétiner*
-onner	diminutif fréquentatif	*chantonner, griffonner* *mâchonner*
-oter, -otter	diminutif fréquentatif	*frisotter, siffloter* *clignoter*
-asser	péjoratif	*écrivasser, finasser, rêvasser,* *traînasser*

CES NOMS PROPRES DEVENUS COMMUNS

On ne le sait pas toujours mais de nombreux personnages réels ou de fiction sont passés à la postérité en perdant la majuscule de leur nom parce qu'ils ont été, à un moment de l'histoire, associés à une invention, à la culture d'une fleur, à la mise au point d'une préparation culinaire, ou tout simplement parce qu'ils sont associés à un caractère, un comportement...

Ampère	*l'ampère* Cette unité d'intensité des courants électriques tient son nom du savant mathématicien et physicien lyonnais, André Marie Ampère (1775-1836).
Béchamel	*la béchamel* Louis de Béchamel, ancien maître d'hôtel de Louis XIV, est à l'origine de cette sauce.
Bégon	*le bégonia* Cette plante ornementale a été baptisée ainsi en souvenir d'un intendant de Saint-Domingue au XVIIe siècle, Michel de Bégon.
Braille	*le braille* Cet alphabet à l'usage des aveugles tient son nom de son inventeur, Louis Braille (1809-1852).
Camelli	*le camélia* Cette fleur chère à l'héroïne d'Alexandre Dumas fils a été baptisée ainsi par Karl von Linné en l'honneur du père Camelli, qui l'avait rapportée d'Extrême-Orient à la fin du XVIIe siècle. C'est à Dumas fils que l'on doit l'orthographe courante avec un seul « l ».
Cardano	*le cardan* Ce système de suspension doit son nom au savant italien Gérolamo Cardano (1501-1576) qui imagina ce mode d'articulation.
Carter	*le carter* Cette enveloppe métallique étanche, située sous un moteur et autour de lui, tire son nom de celui de son inventeur, l'Anglais J.H. Carter.
Chauvin	*un chauvin* Nicolas Chauvin, soldat de l'Empire, est passé à la postérité pour son patriotisme enthousiaste et naïf mis en scène dans *La Cocarde tricolore* en 1831. C'est pourquoi ce terme désigne aujourd'hui quelqu'un qui a une admiration outrée, partiale et exclusive pour son pays.

Clément	*la clémentine* Ce fruit, voisin de la mandarine, est le résultat des talents de jardinier de l'abbé Clément qui mit au point cet hybride en 1902 en Algérie.
Colt	*le colt* Le revolver colt fut inventé au xixe siècle par un ingénieur américain du même nom, David Colt.
Dahl	*le dahlia* Cette plante, originaire de Mexico, fut baptisée dahlia au xviiie siècle en l'honneur d'un botaniste suédois, Andréas Dahl, élève du célèbre von Linné.
Diesel	*le diesel* Ce moteur à combustion interne tire son nom de celui de son inventeur, l'ingénieur allemand Rudolf Diesel (1858-1913).
Dober	*un doberman* Ce chien de garde est issu d'une race mise au point vers 1860 par un employé de fourrière, Dober, qui préféra croiser les chiens qu'il aurait dû tuer.
Dom Juan	*un don juan* Dom Juan, héros de Molière, est à l'origine un personnage du théâtre espagnol, devenu le type du séducteur sans scrupules.
Don Quijote	*un don quichotte* Ce héros de Cervantes est devenu le type de l'homme généreux et chimérique qui se pose en redresseur de torts, en défenseur des opprimés.
Dulcinée	*une dulcinée* Dulcinée de Toboso, qui est la femme aimée de Don Quichotte dans le roman de Cervantes, sert à désigner par plaisanterie une femme qui inspire une passion romanesque à un homme.
Figaro	*un figaro* Le barbier Figaro, personnage du *Barbier de Séville* de Beaumarchais, désigne familièrement un coiffeur.
Garden	*le gardénia* Cet arbuste exotique tire son nom de celui d'un botaniste écossais du xviiie siècle, Garden.
Gavroche	*un gavroche* Gavroche, personnage des *Misérables* de Victor Hugo, désigne un gamin de Paris, frondeur et gouailleur.

| Gibus | *un gibus* |
| | C'est du nom de son inventeur que l'on a nommé ce chapeau haut-de-forme « gibus ». |

| Godillot | *un godillot* |
| | Avant de désigner un gros soulier, le godillot était une chaussure militaire du nom d'un fabricant de chaussures, fournisseur de l'armée en 1870, Alexis Godillot. |

| Gogo | *un gogo* |
| | Gogo, personnage d'une comédie de Frédérick Lemaître, *Robert Macaire*, est devenu le type de l'homme crédule et niais, facile à tromper. |

| Guilllotin | *la guillotine* |
| | Ce n'est pas, comme on le croit souvent, le docteur Guillotin qui inventa cette sinistre machine : il se « contenta » d'en préconiser l'usage devant l'Assemblée nationale afin d'abréger les souffrances des condamnés. La terrible machine fut mise au point par le docteur Louis, mais c'est Guillotin qui en tirera célébrité. |

| Harpagon | *un harpagon* |
| | Ce personnage de Molière dans *L'Avare* est devenu le type de l'homme faisant preuve d'une grande avarice. |

| Hortense | *l'hortensia* |
| | Cet arbrisseau ornemental a été baptisé hortensia au xviiie siècle par Commerson, en l'honneur de la femme de l'horloger Lepaute, Hortense. |

| Judas | *un judas* |
| | Un judas est une personne fourbe qui trahit, du nom du disciple de Jésus qui, selon les Évangiles, livra ce dernier aux Romains. Un judas, c'est aussi une petite ouverture pratiquée dans un mur, une porte ou un plancher pour épier sans être vu. |

| Laïus | *un laïus* |
| | On connaît Laïus, père d'Œdipe, mais on ne voit pas pourquoi il aurait servi à désigner un discours, une allocution. La raison en est que le premier sujet de composition française donné au concours d'entrée à Polytechnique en 1804 était intitulé « Le discours de Laïus ». |

| Landau | *le landau* |
| | Cette voiture à capote formée de deux soufflets pliants, en vogue au xixe siècle, tire son nom de la ville d'Allemagne où elle fut d'abord fabriquée. |

La Vallière	*la lavallière* La cravate de femme qu'on nomme lavallière tire son nom de celui de la favorite de Louis XIV, La Vallière.
MacAdam	*le macadam* Ce revêtement de chaussée tire son nom de celui de son inventeur, l'ingénieur écossais John London MacAdam (1756-1836).
Magnol	*le magnolia* Cet arbre à grandes fleurs blanches tire son nom de celui du botaniste français Magnol (1638-1715).
Mansart	*la mansarde* La pièce aménagée dans un comble et que l'on nomme « mansarde » tire son nom de celui de l'architecte du siècle de Louis XIV, Mansart (1646-1708).
Massiquot	*le massicot* Cette machine à rogner le papier tire son nom de celui de son inventeur, Guillaume Massiquot (1797-1870).
Matamore	*un matamore* Ce personnage de la comédie espagnole, Matamoros, littéralement « tueur de Maures », est devenu le type du faux brave, du vantard.
Mausole	*un mausolée* Le mausolée, somptueux monument funéraire de très grandes dimensions, tire son nom du tombeau de Mausole, roi de Carie.
Mécène	*un mécène* Mecenas, ministre d'Auguste protecteur des arts, désigne sous la forme francisée « mécène » une personne fortunée qui, par goût des arts, aide les écrivains, les artistes.
Morse	*le morse* Ce système de télégraphie et de code de signaux utilisant des combinaisons de points et de traits tire son nom de celui de son inventeur, l'Américain Samuel Morse (1791-1872).
Newton	*le newton* Cette unité de mesure de force tire son nom de celui du physicien, mathématicien et astronome anglais Isaac Newton, inventeur entre autres du télescope et des bases du calcul différentiel.
Ohm	*l'ohm* Cette unité de mesure de résistance électrique tire son nom de celui du physicien allemand Georg Ohm qui découvrit en 1827 les lois fondamentales des courants électriques.

Olibrius	*un olibrius* Olibrius, empereur romain du Vᵉ siècle, était connu pour être incapable et vaniteux. Le nom commun désigne le type du fanfaron, de l'homme importun qui se fait fâcheusement remarquer par sa conduite, ses propos bizarres.

Olibrius

un olibrius
Olibrius, empereur romain du Ve siècle, était connu pour être incapable et vaniteux. Le nom commun désigne le type du fanfaron, de l'homme importun qui se fait fâcheusement remarquer par sa conduite, ses propos bizarres.

Pantalone

le pantalon
Pantalone ou Pantaleone, personnage de la comédie italienne, était vêtu d'un habit d'une seule pièce, du col au pied. Son nom a par la suite servi à désigner un haut-de-chausse étroit qui tenait avec les bas, avant de prendre le sens que nous connaissons de « culotte longue descendant jusqu'aux pieds ».

Pascal

le pascal
Blaise Pascal, bien connu pour ses *Pensées*, était aussi un mathématicien et un physicien remarquable, à l'origine notamment de la machine à calculer, du calcul des probabilités et de travaux sur la pression atmosphérique et l'équilibre des liquides. Son nom sert à désigner l'unité de mesure de contrainte équivalant à la contrainte qu'exerce sur une surface plane de 1 m² une force totale de 1 newton.

Poubelle

la poubelle
Ce récipient doit son nom au préfet de la Seine, Eugène Poubelle, qui imposa l'usage des boîtes à ordures et leur ramassage quotidien par ordonnance du 15 janvier 1884.

Pullman

le pullman
Ces wagons de luxe, aménagés de manière particulièrement confortable, ont été conçus dans les années 1860 par l'Américain George Mortimer Pullman.

Raglan

le raglan
Le raglan était au XIXᵉ siècle un pardessus ample à pèlerine, à la mode au moment de la guerre de Crimée, du nom de lord Raglan qui commanda l'armée anglaise en Crimée. Le raglan ne désigne plus maintenant qu'une forme d'emmanchure qui remonte en biais jusqu'à l'encolure.

Sacripante

un sacripant
Sacripante joue le personnage d'un faux brave, d'un fanfaron dans l'*Orlando innamorato*, comédie italienne du XVᵉ siècle. Son nom sert maintenant à désigner un individu capable de faire des mauvais coups.

Sandwich

le sandwich
Le sandwich fut inventé par le cuisinier du comte de Sandwich qui avait imaginé ce mode de restauration pour éviter à son maître de quitter la table de jeu et d'interrompre sa partie.

Silhouette	*la silhouette* Étienne de Silhouette, ministre des Finances en 1759, eut vite fait de se rendre impopulaire, notamment à cause des mesures de restriction draconiennes qu'il mit en place. Son passage au gouvernement fut bref et son nom en vint à désigner un passage rapide, puis un dessin à peine ébauché.
Sosie	*un sosie* Sosie est un personnage de la comédie de Plaute, *Amphitryon*. Jupiter ayant pris les traits d'Amphitryon pour séduire sa femme, Mercure prend l'apparence de son valet, Sosie. C'est pourquoi un sosie désigne une personne qui ressemble si parfaitement à une autre qu'on s'y trompe.
Spencer	*le spencer* Cette veste courte tire son nom de celui de lord Spencer (1758-1834) qui mit ce vêtement à la mode.
Stras	*le strass* Cette pierre imitant le diamant fut inventée par le joaillier parisien Georges-Frédéric Stras au XVIIIe siècle.
Tartuffe	*un tartuffe* Tartufo, personnage de la comédie italienne, fut repris par Molière en 1664 dans la pièce du même nom, avant de devenir le type du faux dévot et, plus généralement, de l'hypocrite.
Tilbury	*le tilbury* Ce cabriolet léger à deux places, utilisé au XIXe siècle, tire son nom de celui du carrossier anglais qui le mit au point.
Vespasien	*la vespasienne* Ces urinoirs furent créés par le préfet Rambuteau, d'après Vespasien, empereur romain à qui l'on avait attribué l'établissement d'urinoirs publics à Rome.
Volta	*le volt* Cette unité de mesure de potentiel tire son nom de celui du physicien italien, le comte Alessandro Volta, inventeur notamment de la pile électrique en 1800.
Watt	*le watt* Cette unité de mesure de puissance mécanique ou électrique tire son nom de celui du physicien écossais James Watt (1736-1819) qui apporta de multiples améliorations à la machine à vapeur.

L A COMPOSITION

« Le grand-duc s'installa au wagon-restaurant,
dîna d'un croque-monsieur, de chou-fleur et de pommes de terre,
termina par un café crème arrosé d'eau-de-vie,
puis remit son cache-nez dernier cri et se dirigea vers le wagon-lit. »

La composition est un procédé qui consiste à fabriquer un mot nouveau par juxtaposition de mots existant déjà dans notre langue ou d'éléments empruntés aux langues anciennes :
pomme, de, terre → *pomme de terre*
arc, en, ciel → *arc-en-ciel*
centi, mètre → *centimètre*

Notre vocabulaire, constitué à l'origine de mots hérités du latin et de mots empruntés à d'autres langues n'a cessé de s'enrichir de **mots nouveaux, fabriqués** :

▦ **en juxtaposant ou en coordonnant des mots existant déjà en français.**
Ce sont les mots composés de formation française :
(un) chou, (une) fleur → *(un) chou-fleur*
rouge, (une) gorge → *(un) rouge-gorge*
porte (de *porter*), *(une) feuille* → *(un) portefeuille*
(une) brosse, à (préposition), *(des) dents* → *une brosse à dents*

▦ **en combinant des éléments grecs ou latins.**
Ce sont les mots de composition gréco-latine :
anthropo (homme), *logie* (science) → *anthropologie* (ensemble des sciences qui étudient l'homme)
anthropo (homme), *phage* (manger) → *anthropophage* (qui mange de la chair humaine)
poly (plusieurs), *gone* (angle) → *polygone* (figure qui a plusieurs angles et plusieurs côtés)
hexa (six), *gone* (angle) → *hexagone* (polygone à six angles et six côtés)

La composition permet de créer des mots de différentes natures

Tout comme la dérivation, la composition permet de créer des mots de différentes natures :
– **des noms** : *pomme de terre, salle à manger, hexagone, centimètre...*
– **des adjectifs** : *sourd-muet, clairvoyant, anthropophage, mégalomane...*
– **des verbes** : *maintenir, philosopher, téléphoner...*
– **des locutions adverbiales** : *avant-hier, à la légère...*

– **des locutions conjonctives** : *pendant que, par conséquent...*
– **des locutions prépositives** : *en face de, grâce à, à cause de...*

On peut aussi considérer que les locutions verbales du type *prendre feu, prendre la fuite, prendre peur, avoir peur, avoir froid...* constituent des verbes composés.

Les mots de composition française

■ **Les mots composés constituent des mots nouveaux et ont un sens qui leur est propre.**

Prenons le mot « pomme de terre » :
Il est composé à partir de deux mots « pomme » et « terre » qui ont un sens particulier lorsqu'on les considère isolément. Le mot « pomme » désigne « le fruit du pommier », le mot « terre » désigne quant à lui « la matière qui forme la couche superficielle de la croûte terrestre ».
Le mot « pomme de terre » présente un troisième sens, différent des deux autres, à savoir « un tubercule comestible ».
« J'ai mangé une pomme » ne signifie pas la même chose que « j'ai mangé une pomme de terre ».

De la même façon, si « pomme de terre » constitue un mot composé, on ne peut pas en dire autant de l'expression « sac de terre » dans :
Il a transporté vingt sacs de terre pour aménager son jardin.

On pourrait très bien dire :
Il a transporté vingt sacs de bonne terre.

Mais en aucun cas : **Il a mangé des pommes de bonne terre.*

■ **Les mots composés se caractérisent donc par une cohésion de sens que l'on peut reconnaître aux critères suivants :**

■ **Les éléments qui constituent un mot composé ne peuvent être séparés sans que le sens soit modifié.**
une pomme / une pomme de terre
clair / clairvoyant
sourd / sourd-muet

■ **Il est impossible d'intercaler entre eux un élément supplémentaire.**
une pomme de terre / * une pomme de bonne terre

Cela détermine la place de l'adjectif qualificatif qui sera toujours placé devant ou derrière le mot composé, mais jamais à l'intérieur :
*une chemise de nuit **rose*** (et non pas **une chemise rose de nuit*)
*une **belle** chemise de nuit* (et non pas **une chemise belle de nuit*)

■ **Les éléments qui constituent un mot composé ne peuvent être remplacés par un autre.**

Il est impossible de remplacer :
chemin par *voie* dans *une voie ferrée* (*un chemin ferré*)
nuit par *jour* dans *une chemise de nuit* (*une chemise de jour*)
monnaie par *argent* dans *un porte-monnaie* (*un porte-argent*)
voyant par *regardant* dans *clairvoyant...*

À moins de vouloir jouer avec les mots :
un arc-en-poche, une pomme de ciel, un veilleur de l'aube...

Comment sont formés les noms et les adjectifs composés

■ **Un nom composé peut être formé de :**
– **deux noms en juxtaposition :** *gardien-chef, wagon-lit*
– **deux noms dont le second complète le premier, avec ou sans préposition :** *pomme de terre, eau-de-vie, timbre-poste*
– **un nom et un adjectif ou un participe :** *morte-saison*
– **deux adjectifs :** *sourd-muet, clair-obscur*
– **un verbe et son complément :** *portefeuille, abat-jour*
– **deux verbes :** *laissez-passer*
– **un mot invariable et un nom :** *avant-poste, en-tête*
– **un adverbe et un participe :** *bien-fondé*
– **une expression :** *pied-à-terre, tête-à-tête*
– **une phrase entière :** *qu'en dira-t-on, rendez-vous*

■ **Un adjectif composé peut être formé de :**
– **deux adjectifs :** *sourd-muet, clairvoyant, aigre-doux*
– **un adjectif et un participe :** *ivre mort, nouveau-né, frais éclos*
– **un adjectif de couleur et un nom :** *bleu marine, jaune citron*

Les mots de composition gréco-latine

■ Nous n'avons pas toujours conscience, lorsque nous employons un mot comme « philanthrope » ou « mégalomane », qu'il s'agit d'un mot composé d'éléments distincts.
Nous ne percevons que le sens global du mot alors que la compréhension des éléments qui le composent pourraient bien souvent nous aider à mieux le comprendre, le retenir ou l'orthographier :
« philo » (qui aime) se retrouve dans *philosophie, anglophile...*

« anthrope » (homme) se retrouve dans *anthropomorphisme, anthropoïde...*
Un « philanthrope » est une personne qui est portée à aimer tous les hommes.
(Concernant le sens des principales racines grecques et latines, ➡ pages 91 et 95.)

■ Autant il est facile de différencier composition et dérivation dans des mots français, autant cette distinction n'est pas toujours évidente pour les mots de composition gréco-latine.

Les mots composés à partir de deux mots grecs ou latins se distinguent des mots dérivés au moyen de préfixes et suffixes grecs ou latins par les critères suivants :

▧ **Les éléments grecs ou latins utilisés dans la composition de mots nouveaux ont généralement un sens précis et unique.**
Ce n'est pas le cas des préfixes ou des suffixes :
Le préfixe « re- » du latin *re* peut signifier « complètement » dans *remplir*, « de nouveau » dans *rouvrir*, « en arrière » dans *revenir...*
L'élément « anthropo » signifie toujours *homme.*

▧ **Un même élément peut souvent être employé comme élément initial ou final d'un mot composé.**
En revanche, un préfixe ne peut jamais être employé comme suffixe et vice versa.
Cela explique peut-être le succès de ces éléments dans la création de mots nouveaux aujourd'hui encore :
L'élément « anthropo » (homme) se retrouve à une place différente dans *anthropologie* et *philanthrope.*
« re » ne peut pas être employé comme suffixe d'un mot.

SENS DES PRINCIPAUX ÉLÉMENTS VENANT DU LATIN

aér(o)-	air	**aérifère** (qui conduit, distribue l'air), **aérium** (établissement de repos, de vie au bon air pour les convalescents)
agr(i)-, agro-	champ	**agricole, agraire, agronomie**
ambi-	tous les deux	**ambidextre** (qui peut faire la même chose de la main droite ou de la main gauche, avec autant de facilité), **ambivalent** (qui comporte deux valeurs contraires)
arch-	arc	**arche** (voûte en forme d'arc), **archer**
bi-, bis-	deux, deux fois	**bicolore** (de deux couleurs), **bipède, bisannuel** (qui revient tous les deux ans)
bucc(o)-	bouche	**buccal** (qui a rapport à la bouche)
calor(i)-	chaleur	**calorifère** (appareil de chauffage), **calorifique** (qui donne de la chaleur)
carr-	char, voiture	**carrosse, carriole**
centi-	centième partie	**centigrade** (divisé en cent degrés), **centimètre** (centième partie du mètre)
-cide	qui tue, action de tuer	**homicide** (action de tuer un être humain), **parricide** (meurtre du père ou de la mère), **suicide** (action de causer volontairement sa propre mort)
-cole	qui a rapport à la culture, qui habite	**ostréicole** (relatif à l'élevage des huîtres), **vinicole** (relatif à la production du vin) **arboricole** (qui vit dans les arbres)
-culteur	qui cultive	**agriculteur, pisciculteur** (personne qui élève des poissons), **héliciculteur** (personne qui pratique l'élevage des escargots)
cunéi-	coin	**cunéiforme** (qui a la forme d'un coin)
curv(i)-	courbe	**curviligne** (qui est formé par des lignes courbes), **curvimètre** (instrument servant à mesurer la longueur d'une ligne courbe), **incurvé** (qui a une forme courbe)
déci-	dixième partie	**décimètre** (dixième partie d'un mètre), **décimal** (qui a pour base le nombre dix)
du(o)-	deux	**duo, dualité** (coexistence de deux éléments de nature différente)

ferr(o)-	fer	**ferroviaire, ferrugineux** (qui contient du fer)
-fique	qui produit	**frigorifique** (qui sert à produire le froid), **bénéfique** (qui fait du bien)
-forme	qui a la forme de	**uniforme** (qui présente des éléments semblables), **protéiforme** (qui peut prendre toutes les formes)
frac(t)-, -frag-	qui brise	**fracture** (rupture d'un os), **saxifrage** (qui a le pouvoir de dissoudre ou de briser la pierre), **fragile**
frigo(r)-	froid	**frigorifique, frigoriste** (technicien des installations frigorifiques)
-fuge	qui fait fuir, qui fuit	**centrifuge** (qui s'éloigne du centre), **vermifuge** (qui provoque l'expulsion des vers intestinaux)
grad-	pas, degré	**rétrograde** (qui va en arrière), **centigrade, plantigrade** (qui marche sur la plante des pieds), **graduer** (diviser en degrés)
-(i)fère	qui porte ou qui produit	**calorifère** (qui porte des mammelles), **pestiféré** (qui est atteint de la peste), **somnifère** (qui provoque le sommeil)
immun(o)-	exempt de	**immuniser** (protéger contre une maladie infectieuse), **immunité** (exemption de charge accordée par la loi à une catégorie de personnes)
lacrym(o)-	larme	**lacrymal** (qui a rapport aux larmes), **lacrymogène** (qui provoque la sécrétion des larmes)
milli-	millième partie	**millimètre** (millième partie d'un mètre), **milligramme** (millième partie d'un gramme)
multi-	nombreux	**multimillionnaire, multicolore, multitude**
nihil-	rien	**nihilisme** (doctrine d'après laquelle rien n'existe d'absolu), **annihiler** (réduire à rien)
non(a)-	neuf	**nonagénaire** (dont l'âge est compris entre quatre-vingt-dix et quatre-vingt-dix-neuf ans), **nonante** (quatre-vingt-dix)
oct-	huit	**octave** (intervalle de huit degrés), **octogénaire** (dont l'âge est compris entre quatre-vingts et quatre-vingt-neuf ans)

omni-	tout	**omniscient** (qui sait tout), **omnivore** (qui mange de tout)
par-	qui engendre	**parent, primipare** (qui accouche pour la première fois), **ovipare** (se dit des animaux qui se reproduisent par des œufs)
péd(i)-	pied	**bipède** (qui marche sur deux pieds), **quadrupède** (qui a quatre pattes), **pédaler**
plur(i)-	plus d'un	**pluriel, pluridisciplinaire** (qui concerne plusieurs disciplines)
prim(o)-	premier	**primordial** (qui est de première importance), avoir la **primeur** (être le premier à savoir quelque chose)
pri(n)-	premier	**prince, principal, priorité**
quadr-	quatre	**quadrilatère** (polygone à quatre côtés), **quadrimoteur** (avion muni de quatre moteurs)
quar(r)- / carr-	quatre carré	**quarante, carrefour** **équarrir** (couper en quartiers), **équerre**
quart-	quatre	**quart, quartette** (ensemble de quatre musiciens de jazz)
quinqu(a)-	cinq	**quinquagénaire, quinquennal** (qui a lieu tous les cinq ans)
quint-	cinq	**quintuple** (cinq fois plus grand), **quintette** (œuvre de musique composée pour cinq instruments), **esquinter** («couper en cinq», familièrement : blesser, abîmer)
radi(o)-	rayon	**radiosensible** (sensible à l'action des rayons X), **radiothérapie** (traitement aux rayons X)
sacchar-	sucre	**saccharine** (succédané du sucre), **saccharifère** (qui produit, contient du sucre)
sci-	savoir	**science**, à bon **escient** (avec raison)
semi-	demi	**semi**-circulaire, **semi**-conducteur
sol(i)-	seul	**soliloque** (discours d'une personne qui se parle à elle-même), **solo** (morceau joué ou chanté par un seul interprète)

sylv(i)-	forêt	**sylvestre** (propre aux forêts), **sylvicole** (qui vit dans les forêts)
terti-	troisième	**tertiaire, tertio**
tri-	trois	**triple, triangle, tricycle**
uni-	un seul	**unilingue** (qui est en une seule langue), **unijambiste** (qui a une seule jambe)
ventri-	ventre	**ventripotent** (qui a un gros ventre), **ventriloque** (personne qui peut articuler sans remuer les lèvres, d'une voix qui semble venir du ventre)
vil(l)-	ferme, domaine	**villa, village, villégiature** (séjour de repos)
vor-	qui mange	**vorace** (qui mange avec avidité), **carnivore** (qui se nourrit de chair), **herbivore** (qui se nourrit exclusivement de végétaux)

SENS DES PRINCIPAUX ÉLÉMENTS VENANT DU GREC

Nota bene : Le signe de liaison devant l'élément indique qu'aucun mot ne commence par cet élément ; le signe de liaison derrière l'élément indique qu'aucun mot ne se termine par cet élément.
Les éléments munis de deux signes de liaison sont toujours à l'intérieur des mots.
L'absence de signe de liaison indique un accrochage facultatif selon les mots.
Les lettres entre parenthèses peuvent être ou non réalisées.

LE CORPS ET LA SANTÉ

■ LE CORPS

som(a)-/ *somat(o)-/ -some*	le corps	**somatique** (qui concerne le corps, par opposition à psychique) **psychosomatique** (qui se rapporte aux troubles du corps occasionnés, favorisés ou aggravés par des facteurs psychiques) **chromosome** (tout élément essentiel du noyau cellulaire contenant les facteurs de l'hérédité)
derm- / dermo- / dermat(o)-	la peau	**derme** (couche profonde de la peau) **épiderme** (couche superficielle de la peau) **dermatose** (maladie de la peau pouvant être inflammatoire)
sarc(o)-	la chair	**sarcome** (tumeur maligne développée aux dépens du tissu conjonctif occupant les intervalles entre les organes)
my(o)-	le muscle	**myopathie** (maladie des muscles) **myocarde** (muscle qui constitue la partie contractile du cœur) **myalgie** (douleur musculaire)
phléb(o)-	la veine	**phlébite** (inflammation d'une veine) **phlébographie** (radiographie des veines) **phlébologie** (étude des veines et de leurs maladies)
héma- / hémat(o)- / hémo- / -ém-	le sang	**hématologie** (branche de la médecine consacrée à l'étude et au traitement des maladies du sang) **hématome** (accumulation de sang dans un tissu) **hématie** (globule rouge du sang) **hémophilie** (maladie se traduisant par une incapacité du sang à coaguler) **glycémie** (teneur du sang en glucose)

95

■ LA TÊTE

céphal(o)- / *-céphale*	la tête	**céphalée** (mal de tête) **céphalique** (qui a rapport à la tête) **bicéphale** (à deux têtes)
encéphal(o)-	le cerveau	**encéphale** (ensemble des centres nerveux contenus dans la cavité crânienne) **encéphalite** (inflammation du tissu cérébral) **encéphalogramme** (cliché radiologique de l'encéphale)
psych- / psycho-	l'esprit, le psychisme	**psychique** (qui concerne l'esprit, la pensée) **psychose** (maladie affectant le comportement) **psychologie** (étude des phénomènes de l'esprit)
ophtalm(o)-	l'œil	**ophtalmie** (maladie inflammatoire de l'œil) **ophtalmique** (relatif à l'œil) **ophtalmologie** (branche de la médecine qui traite de l'œil)
bléphar(o)-	la paupière	**blépharite** (inflammation des paupières) **blépharospasme** (spasme de la paupière)
op(t)-	la vue	**hypermétrope** (qui ne distingue pas avec netteté les objets très rapprochés) **biopsie** (prélèvement sur un être vivant d'un fragment de tissu en vue d'un examen microscopique) **optique** (relatif à la vision) **cyclope** (géant n'ayant qu'un œil au milieu du front)
ot(o)-	l'oreille	**otite** (inflammation de l'oreille) **otologie** (partie de la médecine qui étudie l'oreille) **oto-rhino-laryngologie** (partie de la médecine qui s'occupe des maladies de l'oreille, du nez et de la gorge)
rhin(o)-	le nez	**rhinite** (inflammation de la muqueuse des fosses nasales) **rhinologie** (partie de la médecine qui traite des maladies du nez) **rhinocéros** (mammifère au nez en forme de corne)
stom(ato)-	la bouche	**stomatologie** (partie de la médecine qui traite des maladies de la bouche et des dents) **stomatite** (inflammation de la muqueuse de la bouche)
odont(o)-	la dent	**odontologie** (étude et traitement des dents) **odontoïde** (en forme de dent)

mastodonte (mammifère fossile du tertiaire aux molaires mamelonnées)
orthodontie (branche de l'odontologie qui traite les malpositions des dents)

| *glos(s)- / glott-* | la langue | **glossite** (inflammation de la langue) **glotte** (orifice du larynx dont l'ouverture ou la fermeture contrôle le débit d'air expiré) |

LE TRONC ET LES MEMBRES

myél(o)-	la moelle osseuse, la moelle épinière	**myélite** (inflammation de la moelle épinière) **myélographie** (radiographie de la moelle épinière) **myélome** (tumeur de la moelle osseuse) **myélosarcomes** (tumeurs développées aux dépens de la moelle osseuse)
arthr(o)-	l'articulation	**arthrite** (affection articulaire d'origine inflammatoire) **arthrose** (sorte de vieillissement, souvent prématuré, des cartilages articulaires) **arthrographie** (examen radiologique d'une articulation)
ost(é)- / ostéo-	l'os	**ostéopathie** (maladie des os) **ostéosynthèse** (réunion des fragments d'un os fracturé par des boulons ou des plaques) **ostéite** (inflammation des os)
stétho-	la poitrine	**stéthoscope** (instrument employé pour écouter les bruits à l'intérieur du corps, notamment le cœur)
mast(o)-	le sein	**mastite** (inflammation des glandes mammaires) **mastodynie** (point douloureux au niveau du sein)
pleur-	la plèvre	**pleurodynite** (douleur dans les muscles de la poitrine) **pleurésie** (inflammation de la plèvre)
chir(o)-	la main	**chirurgie** (partie de la médecine qui comporte une intervention manuelle et instrumentale) **chiropraxie** (traitement médical par manipulations effectuées sur les vertèbres) **chiromégalie** (développement exagéré des mains) **chiromancie** (art de deviner l'avenir par l'inspection des lignes de la main)
dactyl(o)-	le doigt	**dactyloscopie** (procédé d'identification par l'empreinte des doigts)

		dactylographie (technique d'écriture mécanique) **ptérodactyle** (qui a les doigts reliés par une membrane)
onych(o)-	l'ongle	**onychose** (altération des ongles) **onychophagie** (habitude de se ronger les ongles)
pod(o)-	le pied	**podagre** (goutte du pied) **podologie** (étude du pied et de ses affections)
-pyg-	la fesse	**callipyge** (aux belles fesses, ou, par extension, qui a les fesses exagérément développées)

LES ORGANES

card-	le cœur	**cardiaque** (qui est atteint d'une maladie de cœur) **cardiogramme** (enregistrement des mouvements du cœur) **cardiologie** (étude du cœur et de ses affections)
entér(o)-	l'intestin	**entérite** (inflammation de l'intestin) **dysenterie** (infection intestinale) **entérocolite** (inflammation des muqueuses de l'intestin grêle et du côlon)
gastr(o)- / gastéro-	l'estomac	**gastrite** (inflammation de la muqueuse de l'estomac) **gastro-entérologie** (médecine du tube digestif) **gastrocèle** (hernie de l'estomac) **gastronome** (amateur de bonne chère) **gastéropodes** (animaux qui marchent sur le ventre)
hépat(o)-	le foie	**hépatite** (inflammation du foie) **hépatomégalie** (augmentation du volume du foie)
splén- / spléno-	la rate	**splénite** (inflammation de la rate) **spleen** (du grec passé à l'anglais, neurasthénie)
néphr(o)-	le rein	**néphrite** (inflammation des reins) **néphrétique** (relatif au rein malade) **néphrose** (affection dégénérative du rein) **néphrologie** (étude du rein et de ses affections)
cyst(o)-	la vessie	**cystite** (inflammation de la vessie) **cystoscope** (sonde qui permet d'examiner l'intérieur de la vessie)
proct(o)-	l'anus	**proctite** (inflammation de l'anus) **proctologie** (étude des maladies de l'anus et du rectum)

phall(o)-	le membre viril	**phallus** (membre viril en érection) **phallique** (qui a rapport au phallus) **phallocratie** (domination des hommes sur les femmes)
orchi-	le testicule	**orchite** (inflammation du testicule) **orchidée** (fleur en forme de petit testicule)
hystér(o)-	l'utérus	**hystérie** (névrose caratérisée par des troubles sensitifs et psychiques) **hystérographie** (radiographie de l'utérus)
métr(o)-	l'utérus	**métrite** (inflammation de l'utérus)

 LES MALADIES

noso-	la maladie	**nosomane** (individu se préoccupant sans cesse de sa santé) **nosocomial** (qui est relatif aux hôpitaux)
path- / path(o)-	la maladie	**psychopathe** (malade mental) **encéphalopathie** (affection du cerveau) **allopathie** (médecine classique ≠ homéopathie) **homéopathie** (méthode qui consiste à soigner les malades au moyen de remèdes capables, à doses plus élevées, de produire sur l'homme sain des symptômes semblables à ceux de la maladie à combattre)
-plég-	la paralysie	**hémiplégie** (paralysie frappant une moitié du corps) **paraplégie** (paralysie des deux membres inférieurs) **tétraplégie** (paralysie des quatre membres) **ophtalmoplégie** (paralysie des muscles moteurs de l'œil)
-seps- / sept-	l'invasion microbienne	**asepsie** (désinfection, stérilisation) **aseptisé** (privé de toute impureté) **antiseptique** (qui empêche la putréfaction en détruisant les microbes) **septicémie** (infection provoquée par la diffusion de microbes dans l'organisme)
carcino-	le cancer	**carcinologie** (étude du cancer) **carcinome** (tumeur cancéreuse) **carcinogène** (qui peut causer le cancer)
-mane / -manie	l'obsession, la manie	**cleptomane, kleptomane** (personne qui a une tendance maladive à voler, de *klêptes*, « voleur »)

pyromanie (impulsion obsédante poussant à allumer des incendies, du grec *pur*, «feu»)
nymphomanie (exagération maladive des désirs sexuels chez la femme)

LES SYMPTÔMES

-alg-	la douleur	névralgie (douleur ressentie dans le territoire d'un nerf sensitif) odontalgie (douleur d'origine dentaire) rachialgie (douleur le long de la colonne vertébrale) otalgie (douleur de l'oreille) cardialgie (douleur dans la région cardiaque) entéralgie (douleur intestinale) hépatalgie (douleur au niveau du foie) antalgique (médicament qui calme la douleur)
-r(r)a(g)	l'écoulement	otorrhée (écoulement par l'oreille) diarrhée (évacuation fréquente de selles liquides) hémorragie (effusion de sang)
pyo-	le pus	pyurie (émission de pus mélangé à l'urine) pyodermite (lésion suppurative de la peau) pyorrhée (écoulement de pus)
trauma(t)-	la blessure	trauma (lésion, blessure locale produite par un agent extérieur) traumatisme (ensemble des troubles physiques ou psychiques provoqués dans l'organisme par le trauma) traumatique (qui a rapport aux plaies, aux blessures) traumatologie (branche de la médecine qui traite des accidents)

LES SOINS

thérap-	le traitement	chimiothérapie (traitement par des substances chimiques) kinésithérapie (traitement par des mouvements de gymnastique et diverses formes de massages) psychothérapie (traitement par des moyens psychiques) balnéothérapie (traitement par les bains)
pharmac(o)-	les médicaments	pharmacie (science des remèdes et des médicaments) pharmacopée (liste officielle des médicaments) pharmacologie (étude des médicaments, de leur action et de leur emploi)

tom-	le découpage chirurgical	**trachéotomie** (ouverture chirurgicale de la trachée destinée à rétablir le passage de l'air) **phlébotomie** (incision d'une veine pour provoquer la saignée) **anatomie** (étude scientifique, par la dissection ou d'autres méthodes, de la structure et de la forme des êtres) **atomiser** (réduire un corps en fines particules)
plast(i)-	le modelage	**autoplastie** (implantation chirurgicale d'un greffon) **rhinoplastie** (opération destinée à reconstituer le nez d'un blessé ou à corriger la forme d'un nez disgracieux en chirurgie esthétique) **ostéoplastie** (opération réparatrice du squelette)
-ectomie	l'ablation	**appendicectomie** (ablation de l'appendice) **hystérectomie** (ablation de l'utérus) **mammectomie** (ablation du sein) **néphrectomie** (ablation d'un rein) **splénectomie** (ablation de la rate)

 ## LES MÉDECINS

-iatr-* / *-iatrie	le médecin, la médecine	**psychiatre** (médecin spécialiste des maladies mentales) **pédiatre** (médecin spécialiste des maladies de l'enfant) **gériatrie** (médecine de la vieillesse)
-logue, -logie, -logiste	le savant, l'étude	**allergologue** (spécialiste des questions d'allergie) **cancérologue** (spécialiste du cancer) **cardiologie** (étude des maladies du cœur) **dermatologue** (spécialiste de la peau) **gastro-entérologue** (spécialiste du tube digestif) **gynécologue** (spécialiste de l'appareil génital féminin) **néphrologue** (spécialiste du rein) **ophtalmologue** (spécialiste des yeux) **oto-rhino-laryngologiste** (spécialiste de l'oreille, du nez et de la gorge) **phlébologue** (spécialiste des veines) **proctologue** (spécialiste de l'anus et du rectum) **rhumatologue** (spécialiste des rhumatismes) **stomatologue** (spécialiste de la bouche et des dents) **urologue** (spécialiste des voies urinaires)

LA VIE EN SOCIÉTÉ

▊ L'ESPÈCE HUMAINE

anthrop(o)-	l'être humain	**anthropologie** (science qui étudie les caractères anatomiques et biologiques de l'homme) **anthropocentrique** (qui fait de l'homme le centre du monde) **anthropoïde** (qui ressemble à l'homme) **misanthrope** (qui n'aime personne)
andr(o)-	l'homme (par opposition à la femme)	**androïde** (qui ressemble à l'homme) **polyandrie** (le fait pour une femme d'avoir simultanément plusieurs maris)
gyn-	la femme	**androgyne** (qui présente des caractères du sexe opposé) **gynécée** (appartement des femmes dans l'Antiquité) **misogyne** (qui hait ou méprise les femmes)
géront(o)-	le vieillard	**gériatrie** (médecine de la vieillesse) **gérontologie** (étude de la vieillesse) **gérontocratie** (gouvernement, domination exercée par les vieillards)

▊ LA NAISSANCE ET LA MORT

bi(o)-	la vie	**biologie** (science qui a pour objet la description des êtres vivants et l'étude des phénomènes qui les caractérisent) **biographie** (écrit qui a pour objet l'histoire d'une vie particulière) **antibiotique** (substance chimique capable d'empêcher le développement des micro-organismes)
gén-	la naissance, l'engendrement	**genèse** (manière dont une chose s'est formée) **hallucinogène** (qui donne des hallucinations) **généalogie** (suite d'ancêtres qui établit une filiation) **aborigène** (personne originaire du pays où elle vit)
thana(to)-	la mort	**thanatologie** (étude des différents aspects biologiques et sociologiques de la mort) **euthanasie** (anticipation ou provocation de la mort pour abréger l'agonie)

| *nécr(o)-* | le cadavre | **nécrologie** (notice biographique consacrée à une personne morte récemment)
nécrose (altération d'un tissu consécutive à la mort de ses cellules)
nécromancie (évocation des morts par l'occultisme) |

 LA FAMILLE

patr(i)-	le père	**patronyme** (nom de famille) **patristique** (qui a rapport aux Pères de l'Église)
métro-	la mère	**métropole** (ville principale)
péd-	l'enfant	**pédologie** (étude physiologique et psychologique de l'enfant) **orthopédie** (art de prévenir et de corriger les difformités du corps chez l'enfant) **pédophile** (qui ressent une attirance sexuelle pour les enfants)
gam-	le mariage	**monogamie** (régime juridique n'autorisant qu'un seul conjoint en même temps) **polygame** (homme uni à plusieurs femmes ou femme unie à plusieurs hommes à la fois en vertu de liens légitimes) **bigame** (qui est marié à deux personnes en même temps
génér-	l'engendrement	**génération** (production d'un nouvel individu), **congénère** (qui appartient au même genre, à la même espèce)

 LA SOCIÉTÉ

| *dém(o)-* | le peuple,
la population,
la collectivité | **démocratie** (organisation politique dans laquelle les citoyens exercent la souveraineté)
démographie (étude statistique des collectivités humaines)
démiurge (créateur, animateur d'un monde)
épidémie (apparition accidentelle d'un grand nombre de cas au sein d'une collectivité) |
| *ethn(o)-* | la nation | **ethnie** (ensemble d'individus que rapprochent un certain nombre de caractères de civilisation)
ethnologie (étude des faits et documents recueillis par l'ethnographie) |

		ethnographie (étude descriptive des divers groupes humains) **ethnocide** (destruction de la civilisation d'un groupe ethnique par un autre groupe plus puissant)
pol(i)-	la cité, la ville	**métropole, mégapole / mégalopole** (agglomération urbaine très importante) **nécropole, politique** (relatif à la cité, au gouvernement de l'État)
xéno-	l'hôte, l'étranger	**xénophobe** (hostile aux étrangers)

▌ L'ORGANISATION POLITIQUE

-crat-	la domination, la puissance	**aristocratie, autocratie** (forme de gouvernement où le souverain exerce lui-même une autorité sans limite) **ploutocratie** (gouvernement par les plus fortunés) **théocratie** (gouvernement dans lequel l'autorité est exercée par une caste ou un souverain considéré comme le représentant de Dieu sur la terre) **technocratie** (système politique dans lequel les technocrates ont un pouvoir prédominant) **bureaucratie** (influence abusive de l'administration) **eurocrate** (fonctionnaire des institutions européennes) **phallocrate** (partisan de la domination des hommes sur les femmes)
-arch- / arch(i)- / -arque	le pouvoir et ceux qui l'exercent	**anarchie, monarchie, monarque, oligarchie** (régime politique dans lequel la souveraineté appartient à un petit groupe de personnes, à une élite puissante) **archange** (qui est au-dessus de l'ange)

▌ LES DIEUX ET LES CROYANCES

hiér(o)-	le sacré	**hiérarchie** (ordre et subordination des chœurs des anges; en général, organisation d'un ensemble en une série où chaque terme est supérieur au terme suivant) **hiératique** (qui concerne les choses sacrées)
thé(o)-	dieu	**théologie** (étude des questions religieuses) **apothéose** (glorification, consécration) **athée** (personne qui nie l'existence de toute divinité) **monothéisme** (croyance en un dieu unique) **polythéisme** (croyance en plusieurs dieux)

■ LES SENTIMENTS ET LES RELATIONS

phil(o)-	l'amour, l'attirance, ou la passion	**philantrope** (personne qui est portée à aimer tous les êtres humains) **philosophe** (ami de la sagesse, personne qui s'adonne à l'étude rationnelle de la nature et de la morale) **hydrophile** (qui absorbe l'eau, les liquides) **zoophile** (qui manifeste un amour excessif pour les animaux) **germanophile** (qui aime les Allemands) **bibliophile** (personne qui aime, recherche et conserve les livres rares) **discophile** (personne qui collectionne des disques) **philatélie** (art de collectionner les timbres-poste)
éro(t)-	le désir sexuel	**érotisme** (goût marqué pour le plaisir sexuel) **érotomanie** (obsession caractérisée par des préoccupations d'ordre sexuel)
-lâtr-	l'adoration, l'amour excessif	**idolâtrie** (amour passionné, admiration outrée) **zoolâtrie** (adoration d'animaux divinisés)
mis(o)-	la haine	**misanthrope** (personne qui manifeste de l'aversion pour ses semblables) **misogyne** (qui hait ou méprise les femmes)
phob-	la haine	**hydrophobe** (que l'eau ne mouille pas) **germanophobe** (qui déteste les Allemands) **xénophobe** (qui déteste ce qui est étranger) **phobie** (crainte excessive, maladive et irraisonnée de certains objets ou situations) **claustrophobie** (angoisse d'être enfermé) **agoraphobie** (angoisse éprouvée dans les espaces libres et les lieux publics)
polém-	la guerre	**polémique** (qui vise à une discussion vive ou agressive) **polémologie** (étude sociologique de la guerre)

■ LA MÉMOIRE

mnémo- / -mnès-	mémoire	**amnésie** (perte totale ou partielle de la mémoire) **mnémotechnique** (aide à la mémorisation par des procédés d'association mentale)

| *-thèque* | le dépôt, le lieu où l'on dépose | **bibliothèque, pinacothèque** (musée de peinture, de *pinakos,* «tableau») **filmothèque** (dépôt de microfilms) |

■ LES MOTS ET LE LANGAGE

biblio-	le livre	**bibliographie** (connaissance, répertoire des livres publiés sur un sujet donné) **bibliothèque** (salle ou édifice où sont classés des livres pouvant être consultés)
graph(o)-	l'écriture, l'impression, la description	**graphologie** (étude du graphisme, de l'écriture) **typographie** (ensemble des techniques et des procédés permettant de reproduire des textes par l'impression d'un assemblage de caractères en relief)
gramm-	la lettre	**idéogramme** (signe représentatif d'une idée) **épigramme** (petit poème satirique)
glos(s)- / -glott-	le langage	**glose** (commentaire) **glossaire** (lexique d'un domaine spécialisé) **glossolalie** (langage personnel utilisé par certains psychopathes ou dans un but ludique) **polyglotte** (qui parle plusieurs langues)
log- / lect- / -lég / lex(ico)-	la parole, le discours, lire	**monologue** (discours d'une personne qui parle seule) **néologisme** (mot nouveau ou de sens nouveau) **idiolecte** (utilisation personnelle d'une langue par une seule personne, de *idios,* «particulier») **lecture, lexique** (ensemble des mots employés) **dyslexie** (troubles de la capacité de lire)
onoma- / -onym-	le nom, le mot	**onomastique** (étude, science des noms propres) **onomatopée** (création d'un mot suggérant par imitation phonétique l'objet dénommé) **anthroponyme** (nom propre de personne) **anonyme** (dont on ignore le nom)
phras(éo)-	l'expression	**phrase, antiphrase** (manière d'employer une locution dans le sens contraire de ce que l'on veut dire)
sém(a)-	le signe, la signification	**polysémie** (le fait pour un mot d'avoir plusieurs sens) **sémantique** (étude du langage considéré du point de vue du sens)

LE MONDE QUI NOUS ENTOURE

▊ L'UNIVERS

cosm(o)-	l'univers	**cosmos** (l'univers considéré comme un système bien ordonné, espace extraterrestre) **cosmonaute** (voyageur de l'espace) **cosmopolite** (qui vit indifféremment dans tous les pays)
astro-	l'étoile	**astrologue** (personne qui détermine le caractère, prévoit le destin des hommes par l'étude des astres) **astronomie** (science des astres et de la structure de l'univers)
héli(o)-	le soleil	**héliocentrique** (qui est mesuré, considéré par rapport au centre du soleil) **héliothérapie** (traitement de certaines maladies par la lumière et la chaleur solaires)
sélén(o)-	la lune	**sélénologie** (étude de la Lune) **sélénographie** (description de la Lune)

▊ LA TERRE

anémo-	le vent	**anémomètre** (appareil servant à mesurer la vitesse du vent)
oro-	la montagne	**orogenèse** (processus de formation des reliefs de l'écorce terrestre) **orographie** (étude, description des montagnes)
phot(o)-	la lumière	**photophore** (lampe munie d'un réflecteur) **photographie**
potam(o)-	le cours d'eau	**hippopotame** (mammifère amphibie dont le nom signifie « cheval du fleuve »)
séism(o)- / sism(o)-	le tremblement de terre	**séisme** (ensemble des secousses qui constituent un tremblement de terre) **sismique** (relatif aux séismes) **sismologie** (étude des séismes)
spéléo-	la grotte	**spéléologie** (exploration et étude scientifique des cavités du sous-sol)
thalass(o)-	la mer	**thalassothérapie** (traitement par les bains de mer)

LES QUATRE ÉLÉMENTS

aér(o)-	l'air	**aéroplane** (avion) **aérodynamique** (partie de la physique qui étudie les phénomènes accompagnant tout mouvement relatif entre un corps et l'air où il baigne) **aérophagie** (absorption d'un certaine quantité d'air qui pénètre dans l'œsophage et l'estomac)
géo- / -gée	la terre	**géodésie** (étude de la forme, des dimensions et du champ de gravitation de la Terre) **géographie** (étude de la Terre à sa surface) **géophagie** (absorption de terre) **apogée** (point de l'orbite d'un corps céleste, le plus éloigné de la Terre)
hydr(o)-	l'eau	**hydraulique** (qui utilise l'énergie de l'eau) **hydromel** (boisson faite d'eau et de miel)
pyr(o)-	le feu	**pyromètre** (instrument servant à mesurer les températures élevées) **pyrogravure** (procédé de décoration du bois consistant à graver un dessin à l'aide d'une pointe métallique portée au rouge)

LES TEMPÉRATURES ET LES CLIMATS

cryo-	le froid	**cryogène** (qui produit du froid) **cryométrie** (mesure des températures de congélation) **cryothérapie** (traitement local par l'application du froid)
therm(o)-	la chaleur, la température	**thermogène** (qui produit de la chaleur) **thermocollant** (que la chaleur rend adhésif) **thermomètre** (instrument destiné à la mesure des températures) **thermostat** (dispositif qui permet d'obtenir une température constante dans une pièce) **thermique** (relatif à la chaleur)
hygro-	l'humidité	**hygrométrie** (mesure du degré d'humidité de l'atmosphère) **hygrophile** (qui a une préférence pour les lieux humides)

xér(o)-	la sécheresse	**xérophile** (qui vit, peut vivre, dans les lieux secs) **xérodermie** (sécheresse anormale de la peau) **phylloxéra** (parasite se fixant sur les ceps de vignes et entraînant leur mort)

▌ LES REPÈRES DANS L'ESPACE

top(o)-	le lieu	**topographie** (description de la configuration d'un lieu) **toponyme** (nom de lieu) **utopie** (pays imaginaire où règne un gouvernement idéal, du grec *ou*, « non », et *topos*, le tout signifiant « en aucun lieu »)
acro-	l'extrémité	**acrobate, acronyme** (mot formé d'initiales ou de syllabes de plusieurs mots comme OVNI) **acropole** (ville haute des anciennes cités grecques)
endo-	à l'intérieur	**endogène** (qui prend naissance à l'intérieur d'un corps, d'un organisme) **endocrine** (à sécrétion interne) **endogamie** (obligation, pour les membres de certaines tribus, de se marier dans leur propre tribu)
ecto-	à l'extérieur	**ectoparasite** (parasite externe) **ectopique** (qui n'est pas à sa place habituelle), **ectoplasme** (forme immatérielle émise par un médium)
exo-	à l'extérieur	**exocrine** (dont la sécrétion se fait à la surface de la peau) **exogamie** (mariage entre membres de clans différents) **exogène** (qui se produit à l'extérieur d'un organisme)
més(o)-	le milieu	**mésoscaphe** (engin permettant l'exploration des mers à profondeur moyenne) **mésothérapie** (traitement par introduction dans le derme de substances médicamenteuses au moyen de courtes aiguilles)
par(a)-	en marge, à côté	**paraphrase** (phrase synonyme d'une autre) **parascolaire** (en marge de l'école) **paramédical** (qui se consacre aux soins des malades sans appartenir au corps médical)
péri-	autour	**périphrase** (exprimer en plusieurs mots ce que l'on pourrait désigner par un seul) **périmètre** (ligne qui délimite le contour d'une figure plane) **périurbain** (situé aux abords immédiats d'une ville)

■ LES MOUVEMENTS ET LES DÉPLACEMENTS

ciné(ma)t- / *kiné(si)-*	le mouvement	**cinématique** (partie de la mécanique qui étudie le mouvement) **cinémomètre** (indicateur de vitesse) **kinétoscope** (appareil permettant de projeter des photographies prises à très courts intervalles et dont le déroulement rapide donne une impression de mouvement)
brady-	lent	**bradycardie** (ralentissement du rythme cardiaque) **bradype** (mammifère dont le nom signifie « au pied lent », et que l'on appelle aussi le *paresseux*)
tachy-	rapide	**tachycardie** (accélération du rythme cardiaque) **tachygraphe** (appareil enregistreur de vitesse, notamment pour les véhicules automobiles) **tachyphagie** (action de manger trop vite)
drom-	la course, le terrain de course	**dromadaire** (mammifère voisin du chameau, renommé pour sa vitesse) **hippodrome** (terrain aménagé pour les courses de chevaux) **aérodrome** (terrain aménagé pour le décollage et l'atterrissage des avions) **cynodrome** (piste aménagée pour les courses de lévriers, du grec *kunos*, « chien »)
gyro-	tourner	**gyrophare** (lanterne rotative à feu clignotant placée sur le toit d'un véhicule prioritaire) **gyrostat** (solide animé d'un mouvement de rotation autour de son axe)
palin- / *palim-*	à l'envers, de nouveau	**palindrome** (mot qui peut être lu de gauche à droite ou de droite à gauche en conservant le même sens comme *ressasser*) **palimpseste** (parchemin manuscrit dont on a effacé l'écriture pour pouvoir écrire un nouveau texte)
strobo-	tourner	**stroboscope** (appareil rotatif donnant l'illusion du mouvement par une suite d'images fixes)

■ LE TEMPS

chron(o)-	le temps	**chronologie** (succession des événements dans le temps) **chronomètre** (instrument servant à mesurer de façon très précise une durée)

anachronisme (confusion de dates, attribution à une époque de ce qui appartient à une autre)
synchrone (qui se produit dans le même temps)

arch-	ancien, originel	**archaïque** (qui est ancien) **archéologie** (science des choses anciennes, des arts et monuments antiques) **archétype** (type primitif ou idéal) **archives** (collection de documents anciens)
néo-	nouveau	**néophyte** (personne qui a récemment adopté une doctrine, un système, ou qui vient d'entrer dans un parti, une association) **néologisme** (emploi d'un mot nouveau ou emploi d'un mot déjà existant dans un sens nouveau) **néolithique** (période la plus récente de l'âge de pierre) **néonatal** (qui concerne le nouveau-né)
mét(a)-	la succession, le changement la hiérarchie	**métamorphose** (changement de forme) **métastase** (changement de place, déplacement de cellules cancéreuses par rapport au foyer primitif) **métalangage** (langage qui sert à décrire la langue naturelle)
paléo-	ancien, primitif	**paléolithique** (première période de l'ère quaternaire) **paléontologie** (science des êtres vivants ayant existé au cours des temps géologiques, et qui est fondée sur l'étude des fossiles)

LES ANIMAUX

zo(o)-	l'animal	**zoo, zoologie** (branche des sciences naturelles qui a pour objet l'étude des animaux)
cyn(o)-	le chien	**cynégétique** (qui se rapporte à la chasse, par référence à la chasse avec une meute) **cynophile** (qui aime les chiens) **cynique** (qui s'exprime ouvertement avec un sentiment de provocation)
entomo-	l'insecte	**entomologie** (partie de la zoologie qui traite des insectes) **entomophage** (qui se nourrit d'insectes)
hipp(o)-	le cheval	**hippocampe** (signifie « cheval recourbé », de *hippos* et *kampê*, « courbure »), **hippopotame** (mammifère amphibie dont le nom signifie « cheval du fleuve ») **hippodrome** (champ de courses de chevaux)

ichty(o)-	le poisson	**ichtyologie** (partie de la zoologie qui traite des poissons) **ichtyophage** (qui se nourrit principalement ou exclusivement de poisson)
ornitho-	l'oiseau	**ornithologie** (partie de la zoologie qui traite des oiseaux) **ornithorynque** (signifie « bec d'oiseau » de *ornithos* et *rhunkhos*, « bec ». L'ornithorynque est un mammifère amphibie à bec corné et à queue plate)
ostréi-	l'huître	**ostréiculture** (élevage des huîtres)
pithéc(o)-	le singe	**pithécanthrope** (singe fossile proche du genre humain) **anthropopithèque** (animal fossile intermédiaire entre le singe et l'homme)

MATIÈRES, FORMES ET COULEURS

■ LES MATIÈRES

chrys(o)-	l'or	**chrysocale** (alliage qui imite l'or) **chrysolithe** (pierre précieuse de teinte dorée) **chrysanthème** (plante dont le nom signifie « fleur couleur d'or »)
lith(o)-	la pierre	**lithographie** (reproduction par impression d'un dessin, d'un texte écrit ou tracé sur une pierre calcaire) **aérolithe** (fragment de corps céleste qui tombe sur la Terre) **néolithique** (relatif à l'âge de la pierre polie)
sidér(o)-	le fer	**sidérurgie** (métallurgie du fer, de la fonte et de l'acier) **sidérographie** (gravure sur acier)
xyl(o)-	le bois	**xylophage** (qui se nourrit de bois) **xylophone** (instrument de musique à percussion, formé de lames de bois)

■ LES FORMES

morph(o)-	la forme	**métamorphose** (changement de forme, de nature ou de structure si considérable que l'être ou la chose qui en est l'objet n'est plus reconnaissable)

morphologie (étude de la forme, configuration, apparence extérieure)
polymorphe (qui peut se présenter sous des formes différentes)

cycl(o)-	le cercle, la périodicité	cyclone (bourrasque en tourbillon) hémicycle (espace qui a la forme d'un demi-cercle) cycle (suite de phénomènes se déroulant dans un ordre immuable sans discontinuité) cyclothymie (état qui fait alterner les périodes d'excitation et de dépression)
-èdr-	la base	polyèdre (volume à plusieurs faces) trièdre (polyèdre à trois faces), tétraèdre (polyèdre à quatre faces), hexaèdre (polyèdre à six faces)
gon-	l'angle	polygone (figure à plusieurs côtés et plusieurs angles) hexagone (polygone à six angles et six côtés) pentagone (polygone à cinq angles et cinq côtés) diagonale (en biais, obliquement)
hélic(o)-	l'hélice (courbe géométrique)	hélicoïdal (en forme d'hélice) hélicoptère (aéronef dont la sustentation et la propulsion sont assurées par la rotation d'une hélice)
orth(o)-	la droite, l'angle droit, droit, correct	orthogonal (qui forme un angle droit) orthodromie (route d'un navire, d'un avion qui suit la voie la plus directe) orthographe (manière d'écrire un mot qui est considérée comme la seule correcte) orthoptique (relatif à la vision normale des deux yeux)
stér(éo)-	solide, substantiel	stéréophonie (ensemble de procédés d'enregistrement, de reproduction et de diffusion permettant de donner l'illusion du relief acoustique) stéréoscopie (procédé permettant d'obtenir l'impression de relief) stéréotype (cliché, opinion toute faite)

■ LES COULEURS

chrom(o)-	la couleur	chromotypographie (impression typographique en couleur) monochrome (qui est d'une seule couleur) polychrome (qui est de plusieurs couleurs)
chlor(o)-	vert	chlorophylle (matière colorante verte des plantes) chlore (gaz jaune verdâtre)

113

éry- / érythr(o)-	rouge	**érythème** (rougeur congestive de la peau) **érythrocite** (globule rouge du sang)
leuc(o)-	blanc	**leucémie** (maladie grave caractérisée par une prolifération massive de leucocytes) **leucocyte** (globule blanc du sang)
méla(no)-	noir	**mélanine** (pigment brun foncé qui donne la coloration normale à la peau) **mélancolie** (signifie « bile noire », « humeur noire » ; l'une des quatre humeurs, dont l'excès, selon la médecine ancienne, poussait à la tristesse) **mélanésien** (habitant de Mélanésie, de race noire)

LES QUANTITÉS NON CHIFFRÉES

hémi-	la moitié	**hémiplégie** (paralysie frappant une moitié du corps) **hémistiche** (moitié d'un vers) **hémisphère** (moitié d'une sphère)
holo-	tout entier	**holocauste** (sacrifice total, extermination) **holographie** (méthode d'enregistrement et de reproduction des images en trois dimensions)
hyper-	au-dessus de la normale	**hypertension** (tension artérielle supérieure à la normale) **hyperglycémie** (excès de sucre dans le sang)
hypo-	au-dessous de la normale	**hypotension** (tension artérielle inférieure à la normale) **hypoglycémie** (insuffisance du taux de sucre dans le sang)
iso-	égal	**isocèle** (dont deux côtés non parallèles sont égaux) **isochrone** (dont la durée est constante)
olig(o)-	peu	**oligarchie** (régime politique dans lequel la souveraineté appartient à un petit groupe de personnes) **oligophrénie** (arriération mentale) **oligoélément** (élément chimique présent en très faible quantité chez les êtres vivants)
macro-	grand	**macroévolution** (évolution portant sur des périodes très étendues) **macrophotographie** (photographie très rapprochée de petits objets, donnant une image plus grande que nature)

micro-	petit	**microfilm** (reproduction très réduite de documents sur film photographique) **micro-ordinateur** (ordinateur de petite taille)
méga(lo)-	très grand	**mégalithe** (monument de pierre brute de grandes dimensions) **mégalomanie** (comportement pathologique caractérisé par le désir excessif de gloire, de puissance ou par l'illusion qu'on les possède) **mégaphone** (appareil portatif servant à amplifier la voix)
pan-	tout	**panacée** (remède universel agissant sur l'ensemble des maladies) **panorama** (paysage que l'on peut contempler de tous côtés) **panthéisme** (doctrine selon laquelle tout est en Dieu)
poly-	plusieurs	**polyglotte** (qui parle plusieurs langues) **polymorphe** (qui peut se présenter sous des formes différentes) **polygame** (homme uni à plusieurs femmes, femme unie à plusieurs hommes)

LES QUANTITÉS CHIFFRÉES

mon(o)-	un seul	**monarchie** (régime dans lequel l'autorité politique réside dans un seul individu) **monogame** (qui n'a qu'une seule femme, qu'un seul mari à la fois) **monologue** (scène à un personnage qui parle seul)
prot(o)-	premier, primitif	**prototype** (type, modèle premier) **protoétoile** (étoile en formation) **protagoniste** (personne qui joue le premier rôle)
di-	deux	**diptyque** (tableau pliant formé de deux volets) **diptère** (édifice antique présentant une double rangée de colonnes autour du centre)
amph(i)-	des deux côtés	**amphibie** (conçu pour être utilisé sur terre ou dans l'eau) **amphibologie** (double sens présenté par une proposition) **amphore** (vase antique à deux anses)
dicho-	divisé en deux	**dichotomie** (division, subdivision binaire)

dipl(o)-	double	**diplopie** (trouble de la vue, consistant dans la perception de deux images pour un seul objet)
deutér(o)-	deuxième	**deutérocanonique** (se dit de certains livres saints qui n'ont été considérés comme canoniques qu'après les autres)
tri-	trois	**triade** (groupe de trois personnes ou choses) **triangle** (figure géométrique à trois côtés) **triathlon** (épreuve d'athlétisme en trois parties)
tétra-	quatre	**tétralogie** (ensemble de quatre œuvres) **tétraplégie** (paralysie des quatre membres) **tétrasyllabe** (qui a quatre syllabes)
pent(a)-	cinq	**pentagone** (polygone qui a cinq angles et cinq côtés) **pentarchie** (gouvernement de cinq chefs)
hexa-	six	**hexagone** (polygone à six angles et six côtés) **hexapode** (qui a six pieds)
hepta-	sept	**heptasyllabe** (vers de sept syllabes) **heptathlon** (compétition féminine d'athlétisme regroupant sept épreuves)
oct-	huit	**octogonal** (qui a huit angles) **octostyle** (qui a huit colonnes) **octet** (base composée de huit caractères binaires, en informatique)
ennéa-	neuf	**ennéagonal** (qui a neuf angles) **ennéade** (groupe de neuf personnes)
déc(a)-	dix	**décasyllabe** (vers de dix syllabes) **décathlon** (compétition masculine d'athlétisme regroupant dix épreuves) **décade** (période de dix jours)
hendéca-	onze	**hendécagone** (polygone qui a onze angles et onze côtés) **hendécasyllabe** (vers de onze syllabes)
dodéca-	douze	**dodécaphonique** (qui utilise la série de douze sons) **dodécastyle** (qui a douze colonnes de façade)
icosa-	vingt	**icosaèdre** (polyèdre limité par vingt faces)
hect(o)-	cent	**hectolitre** (mesure de capacité valant cent litres) **hectomètre** (mesure de longueur valant cent mètres)

hectopascal (unité de mesure de pression valant cent pascals)

kilo-	mille	kilofranc (unité de compte correspondant à mille francs) kilohertz (unité de mesure de fréquence valant mille hertz)
myria- / myrio-	dix mille	myriade (très grand nombre)
méga-	un million	mégatonne (unité d'évaluation de la puissance destructive d'une arme nucléaire qui équivaut à un million de tonnes de TNT) méga-octet (en informatique, unité de capacité de mémoire, symbolisée par Mo, et valant environ un million d'octets)
micro-	un millionième	microampère (un millionième d'ampère) microgramme (un millionième de gramme)
giga-	un milliard	gigawatt (un milliard de watts)
nan(o)-	un milliardième	nanoseconde (un milliardième de seconde) nanomètre (un milliardième de mètre)

SENS ET FORME
DES MOTS

S IGNE, SIGNIFIANT, SIGNIFIÉ

« Les paroles ne sont que des sons
dont on fait arbitrairement les signes de nos pensées. »
(FÉNELON, *Lettre à l'Académie*)

■ **Le signe linguistique est la plus petite unité ayant une signification dans une langue.**
« chien », « cela », mais aussi une désinence verbale comme « -ent » (marque de la 3ᵉ personne du pluriel) ou « s » (marque du pluriel dans les noms et les adjectifs) sont des signes.
Le signe ne correspond donc pas toujours à un mot.

■ **Le signe est formé de l'union d'un signifiant et d'un signifié ; on l'appelle un monème.**

▥ **Le signifiant, c'est la réalité matérielle du signe, réalité orale (phonétique) et écrite (graphique).**

▥ **Le signifié, c'est le sens auquel renvoie le signe.**

Le signifiant : comment nous entendons et écrivons le signe

■ **Le signifiant se traduit à l'oral par un ensemble de sons appelés phonèmes.**
Ils constituent la partie sonore du signe.
À chaque sens, correspond une combinaison de phonèmes particulière qui permet de différencier les mots entre eux :
le signifiant du signe *chien* est [ʃjɛ̃], il s'oppose à [ʀjɛ̃], « rien » ;
le signifiant du signe *enfant* est [ɑ̃fɑ̃], il s'oppose à [ɑ̃sɑ̃], « encens ».

Attention !
Il existe des homophones, c'est-à-dire des mots qui se prononcent de la même façon, mais ils sont en très petit nombre :
[vɛʀ] peut correspondre à *ver, vers, vert, verre...*

■ **Le signifiant se traduit à l'écrit par un ensemble de lettres.**
Elles constituent la partie visuelle du signe :
chien, enfant
À un même son peuvent correspondre plusieurs lettres différentes et inversement :
Le son [s] peut être graphié *s, c, ç, sc, ss...*
La lettre s peut correspondre au son [s] ou [z].

Attention !
Il existe des homographes, c'est-à-dire des mots s'écrivant de la même façon, mais ils sont rares : *boucher* (marchand de viande), *boucher* (un trou).

Le signifié et l'image mentale

Le signifié, c'est la partie du signe qui permet à tous ceux parlant une même langue de se reporter au même « territoire de sens ».
À partir de cet accord, chacun peut construire dans sa pensée une image mentale particulière.
Ainsi, le signifiant [bebe] porte le signifié « bébé ». Ce signifié s'oppose à ceux de « adulte », « adolescent », « fillette », mais aussi à celui de « chien », de « chat »...
Le signifié ainsi identifié permet de représenter dans la pensée de chacun une image mentale qui sera assez différente d'un individu à l'autre : *brun, blond, grand, petit*.
Mais en entendant [bebe], tous les francophones sauront qu'il ne s'agit pas d'un adolescent.

Les deux aspects du signifié

Le signifié comprend deux aspects :

▪ **Le sens dénoté, ou dénotation**, correspond au sens objectif tel que nous le livre le dictionnaire.

▪ **Le sens connoté, ou connotation**, est plus subjectif.
Il peut être lié à l'expérience personnelle, au contexte, mais aussi à un milieu social, à une époque ou à une culture donnée.

Prenons le mot « chien » :
– le sens dénoté du mot « chien » est : « mammifère issu du loup, dont l'homme a domestiqué et sélectionné par hybridation de nombreuses races » ;
– ses connotations sont nombreuses : le chien peut connoter la fidélité, la patience ou la bestialité, la méchanceté...

Signes et signaux : ce qui différencie le langage humain du « langage » animal

■ **De tous les êtres vivants, les hommes sont les seuls à utiliser le langage comme moyen de communication.**
Les animaux, eux, communiquent au moyen de signaux, mais n'utilisent pas un langage articulé.
Ces signaux sont en très petit nombre et chacun d'eux correspond à une situa-

tion particulière ; l'animal connaît tous les signaux nécessaires pour que, dans un nombre limité de situations (danger, fuite, présence de nourriture...), il puisse communiquer l'information ou la recevoir.

■ **Le langage humain est doublement articulé.**
Il est fondé sur la combinaison de sons qui donnent des signes et des signes qui, grâce à la syntaxe, donnent des phrases et des textes.
Il peut ainsi, à partir d'un nombre limité de sons (34 en français) et de mots (quelques milliers), rendre compte de l'infinité des situations possibles.

Cette combinaison s'effectue à deux niveaux :

▬ Les sons se combinent entre eux pour former des mots.
Les mêmes sons permettent de former des mots différents.

▬ Les mots se combinent entre eux pour former des phrases.
Les mêmes mots peuvent entrer dans des phrases différentes.

Le signe est-il arbitraire ?

■ **L'union du signifié et du signifiant est conventionnelle.**
On peut se demander pourquoi tel signifiant, plutôt que tel autre, a été associé à tel signifié : pourquoi [tapi] pour tapis, et non [tapa] ou [tapo] ?

▬ Pourtant, certains mots donnent l'impression de ressembler à ce qu'ils désignent. C'est le cas notamment des termes qui évoquent des bruits comme *chuchoter, susurrer, tinter, crier...* ou des onomatopées telles que : *wouah, miaou, cocorico...* Cependant, la ressemblance n'est pas suffisante pour que quelqu'un, ignorant le code, reconnaisse le bruit ou le cri d'animal désigné par le signifiant : un étranger est incapable de comprendre le sens de « susurrer » seulement en écoutant ce mot.

▬ Même les onomatopées sont conventionnelles.
La preuve en est qu'elles varient d'une langue à l'autre :
Les canards danois ne disent pas « *coin-coin* » mais « *rap-rap* » !

■ **L'union du signifiant et du signifié est tellement arbitraire que les mêmes sons peuvent avoir des sens différents selon les langues :**
En anglais, les sons [tu] (*two*) signifient « deux », en français : la « toux »...

De la même manière, des mots de même sens peuvent adopter des formes radicalement différentes d'une langue à l'autre :
chien en français
hund en allemand
dog en anglais

S'il y avait un motif pour associer tels sons (tel signifiant) à tel sens (tel signifié), les associations seraient les mêmes dans toutes les langues. Or, le fait même qu'il existe un très grand nombre de langues différentes montre que l'association d'un signifiant et d'un signifié est arbitraire.

■ **L'arbitraire de l'union du signifiant et du signifié est relatif.**
Une fois que tel signifiant a été associé à tel signifié, les mots de la même famille sont formés à partir de ce signe, ainsi que tous les autres mots qui désignent le même rapport :

Le choix des sons [fʁɛz] pour désigner une « fraise » et [pwaʁ] pour désigner une « poire » est totalement arbitraire.

En revanche, si l'on forme le mot « fraisier » sur le mot « fraise », il devient logique de dire « poire-poirier ».

C'est ce qu'on appelle l'arbitraire absolu (*fraise, poire*) et l'arbitraire relatif (*fraisier, poirier*).

Le jeu sur le signifiant et le signifié

■ **Le langage poétique joue à la fois sur le sens et les sonorités des mots.**
Alors que dans la langue courante les signes sont utilisés sans que l'on prête attention à leur aspect sonore, au profit du sens, du message que l'on veut transmettre, en poésie sons et sens sont intimement liés.
C'est ce qu'illustrent par exemple l'emploi de l'**assonance** (répétition d'un même son-voyelle) et l'**allitération** (répétition d'un même son-consonne) pour créer un effet d'harmonie :

Tout m'afflige et me nuit et conspire à me nuire.
(RACINE, *Phèdre*)
Pour qui sont ces serpents qui sifflent sur vos têtes ?
(RACINE, *Andromaque*)

■ **Les jeux de mots, les charades, les devinettes, utilisent la possibilité de sens multiples qu'offrent certaines associations de phonèmes.**
Nous commençons par grouper les éléments de l'énoncé dans le sens qui nous paraît le plus probable, mais un autre contexte exige une autre interprétation qui exclut la première :

Mon premier est un animal domestique,
C'est par mon deuxième que la vache produit du lait,
Mon troisième est le contraire de tard,
Mon tout est une tente de cirque.
(chat + pis + tôt ➙ chapiteau)

CRIS ET CHUCHOTEMENTS

Les cris d'animaux sont exprimés par des verbes qui relèvent presque toujours de l'onomatopée.
On notera qu'un même cri peut être attribué à deux ou plusieurs animaux différents.
À l'inverse, plusieurs cris peuvent concerner un seul et même animal.

l'abeille	bourdonne
l'agneau	bêle
l'aigle	glatit, trompette
l'alouette	grisolle, tirelire
l'âne	brait
la bécasse	croule
le bélier	blatère
la biche	brame, rait, rée
le bœuf	beugle, meugle, mugit
le bouc	béguette, chevrote
la brebis	bêle
le buffle	beugle, mugit, souffle
la caille	cacabe, caquette, carcaille, courcaille, margaude, margotte
le canard	cancane, nasille
le cerf	brame, rait, ralle, rée
le chacal	aboie, jappe
le chameau	blatère
le chat	miaule, ronronne
le chat-huant	chuinte, hue, hulule, ulule
le cheval	s'ébroue, hennit
la chèvre	béguette, bêle, chevrote
le chevreuil	brame, rait, rée
le chien	aboie, clabaude, grogne, hurle, jappe
le chien de chasse	clatit, donne de la voix
la chouette	chuinte, hue, hulule, ulule
la cigale	chante, craquette, stridule
la cigogne	claquette, craque, craquette, glottore
le cochon	grogne, grouine
la colombe	roucoule
le coq	chante, coquerique
le corbeau	croasse, graille
la corneille	babille, craille, criaille, croasse, graille
le coucou	coucoule
le crapaud	coasse

le crocodile	lamente, pleure, vagit
le cygne	siffle, trompette
le daim	brame, rait, rée, râle
le dindon	glougloute
l'éléphant	barète, barrit
l'épervier	glapit, piaille
le faisan	criaille
le faon	râle
le faucon	réclame
la fauvette	zinzinule
le geai	cacarde, cajole, jase
le goéland	pleure
la grenouille	coasse
le grillon	craquette, crisse, grésille, grésillonne
la guêpe	bourdonne
le hibou	bouboule, froue, hulule, miaule, ulule
l'hirondelle	gazouille, stridule, trisse
la huppe	pupule
la hyène	hurle
le jars	criaille, jargonne
le lapin	clapit, couine, glapit
le lièvre	couine, vagit
le lion	grogne, rugit
le loup	hurle
le merle	appelle, babille, flûte, siffle
la mésange	zinzinule
le moineau	chuchote, pépie
la mouche	bourdonne
le mouton	bêle
l'oie	cacarde, criaille, siffle
l'ours	grogne, gronde

la panthère	rugit
le paon	braille, criaille
la perdrix	cacabe, glousse, rappelle
le perroquet	cause, jase, parle, piaille, siffle
le phoque	bêle, grogne, rugit
la pie	babille, jacasse, jase
le pigeon	caracoule, roucoule, frigotte
le pingouin	brait
le pinson	ramage, siffle
la pintade	cacabe, criaille
le porc	grogne
la poule	caquette, claquette, crételle, glousse
le poulet	piaille, piaule
le poussin	piaille
le rat	couine

le renard	glapit, jappe
le rhinocéros	barète, barrit
le rossignol	chante, gringotte
le sanglier	grommelle, grumelle, nasille
la sauterelle	stridule
le serpent	siffle
le singe	crie, hurle
la souris	chicote, couine
le taureau	mugit
le tigre	feule, miaule, râle, rauque
la tourterelle	caracoule, gémit, roucoule
la vache	beugle, meugle, mugit
le zèbre	hennit

M ONOSÉMIE, POLYSÉMIE

« Il a trois passions : la culture,
la culture physique
et la culture des orchidées. »

■ **On parle de monosémie lorsqu'un mot n'a qu'un seul sens.**
Le mot « monosémie » vient du grec *monos*, « unique » et de *semaînen*,
« signifier ».

■ **On parle de polysémie lorsqu'un même mot a plusieurs sens.**
Le mot « polysémie » vient du grec *polus*, « plusieurs » et de *semaînen*,
« signifier ».

■ **Il existe peu de mots monosémiques en français.**
Ils appartiennent généralement au vocabulaire scientifique ou technique :
encéphalogramme, kilomètre, carburateur...

■ **La plupart des mots sont polysémiques.**
Prenons le mot « terre », son sens changera selon qu'il sera employé par un géo-
graphe, un jardinier ou un propriétaire terrien :
Le géographe étudie le relief de la Terre.
Le jardinier fertilise la terre avant de planter ses rosiers.
Autrefois, beaucoup de propriétaires prenaient le nom de leur terre.

Il ne faut pas confondre la polysémie et l'homonymie

On ne peut pas dire qu'un mot polysémique, présentant plusieurs acceptions,
est constitué d'autant d'homonymes.

▧ Pour parler d'homonymie, il faut que l'on ne puisse pas expliquer le rapport
de sens entre les deux mots considérés.
Le nom *boucher* désigne à la fois « un marchand de viande » et « un homme
cruel et sanguinaire ».
Il ne s'agit pas ici de deux homonymes, mais du même mot employé au sens
propre et au sens figuré.
En revanche, le verbe *boucher* signifiant « clore, fermer, obturer... » est homo-
nyme du nom *boucher*. Il n'y a aucun rapport de sens entre eux.
Par ailleurs, les mots homonymes présentent des étymologies différentes :
Le nom *boucher* vient de bouc ; le verbe *boucher* vient de bois.

▧ Dans la polysémie, les différents sens sont souvent liés entre eux et on peut
expliquer l'influence du contexte.

Les différents sens du mot polysémique

La polysémie se manifeste de différentes manières :

- **le sens propre et le sens figuré**
  Le lion est le roi des animaux.
  (sens propre = le fauve)
  « *Vous êtes mon lion superbe et généreux.* »
  (V. HUGO) (sens figuré = un homme courageux)

- **le sens concret et le sens abstrait**
  Ce cinéma possède un écran géant.
  (sens concret = le local)
  Il est passionné de cinéma.
  (sens abstrait = le 7e art)

- **le sens ancien et le sens moderne**
  Le mot « succès », au XVIIe siècle, désigne un résultat, qu'il soit bon ou mauvais.
  Il ne désigne plus aujourd'hui qu'un résultat positif :
  Il a passé tous ses examens avec succès.

- **le sens du nom animé et le sens du nom non animé**
  Le papillon s'est posé sur la fleur.
  (animé = insecte)
  La contractuelle a mis un papillon sur mon pare-brise.
  (non animé = contravention)

- **le sens restreint et le sens étendu**
  Pour travailler, il s'enferme dans son bureau.
  (sens restreint = pièce où est installée la table de travail)
  L'entreprise a installé ses bureaux en banlieue.
  (sens étendu = lieu de travail des employés)

Les mots peuvent se construire différemment selon leur sens

■ **Le sens varie souvent selon la préposition qui suit le verbe.**

donner quelque chose à quelqu'un signifie « mettre quelque chose en sa possession » :
  Je lui ai donné ma montre.

donner dans signifie « tomber dans » :
  Ils ont donné dans une embuscade.

donner sur signifie « avoir vue sur » :
  Leur maison donne sur la mer.

■ **La préposition elle-même peut être polysémique :**
Il travaille avec un camarade.
Il travaille avec acharnement.
Tu es très beau avec ton nouveau costume.
Avec le temps qu'il fait, ça m'étonnerait qu'ils viennent.

Champs lexicaux et champs sémantiques

■ Il ne suffit pas d'identifier le sens des mots en fonction du contexte pour comprendre et interpréter un énoncé. Il faut aussi savoir repérer tous les mots qui se rapportent à un même thème ou à une même notion et qui forment un réseau de sens, appelé **champ lexical** ou **réseau lexical.**

■ **Un champ lexical peut se composer :**

▬ **de mots appartenant à la même famille parce que formés sur le même radical.**
enfant, enfantin, enfanter, infantile...

▬ **de synonymes.**
enfant, marmot, bambin, petit homme...

▬ **de mots ayant un rapport de sens étroit avec le thème considéré.**
enfant, jouets, école, maman...

■ **Plusieurs champs lexicaux peuvent coexister dans un même texte ou un même énoncé.**
Les repérer permet de mettre à jour les grands thèmes abordés.
Ainsi dans ces quelques vers, où sont développés à la fois le thème de la lumière et celui de l'obscurité :
*Quel **éclat** sur mes cils aveuglément **dorée**,*
*Ô paupières qu'opprime une nuit de **trésor**,*
*Je priais à tâtons dans vos ténèbres d'**or** !*

(Paul VALÉRY, *La Jeune Parque*)

■ **Le champ sémantique** est constitué de l'ensemble des significations que peut prendre un même mot répété plusieurs fois dans un texte ou dans des textes différents.

Ainsi, dans le célèbre poème *L'Albatros* de Charles Baudelaire, l'oiseau est à la fois symbole de liberté noble et de soumission honteuse.
Champ sémantique de la liberté :
vastes oiseaux... rois de l'azur... grandes ailes blanches... prince des nuées...
ailes de géant...

Champ sémantique de la soumission :
maladroits et honteux... piteusement... traîner... gauche et veule... boitant... l'infirme...

Savoir jouer de la polysémie

La polysémie, parce qu'elle génère des ambiguïtés ou des équivoques, permet de jouer sur le sens des mots.
Elle est un procédé couramment employé dans la poésie moderne, mais aussi dans les slogans publicitaires, les titres de films, de romans, d'articles de presse.

L'humour repose dans de nombreux cas sur la polysémie, comme dans ce texte de Raymond Devos :
Je connaissais un sportif qui prétendait
avoir plus de ressort que sa montre.
Pour le prouver, il fait la course contre
sa montre.
Il a remonté sa montre,
il s'est mis à marcher en même temps qu'elle.
Lorsque le ressort de la montre est arrivé en bout
de course, la montre s'est arrêtée.
Lui a continué,
et il a prétendu avoir gagné
en dernier ressort.
(Raymond DEVOS, *Sauver la face*)

Les définitions de mots croisés jouent, elles aussi, très souvent de la polysémie des mots, au grand plaisir des cruciverbistes :
Homme de lettres. (en 7 lettres)
Ne manque pas de défense. (en 8 lettres)
A souvent bonne mine. (en 6 lettres)
(Réponses : *Facteur – Éléphant – Crayon*)

À LA RECHERCHE DU SENS : LE DICTIONNAIRE

Le dictionnaire est un recueil de mots rangés par ordre alphabétique. Il existe plusieurs types de dictionnaires : dictionnaire de langue, dictionnaire encyclopédique, dictionnaire de synonymes... Le dictionnaire de langue fournit un recensement et une analyse des significations.

« Le dictionnaire de langue est la mémoire lexicale d'une société, et c'est le lexique qui est porteur de la quasi-totalité des significations qu'aucun de nous ne peut mémoriser. Même et peut-être surtout les écrivains qui ont de plus grands besoins d'expression recourent constamment au dictionnaire. » (Préface du *Nouveau Petit Robert 1*, 1994)

■ *Tout article s'ouvre sur un certain nombre d'informations concernant :*

▦ **la prononciation du mot**, transcrite entre crochets dans l'alphabet phonétique international (API)

▦ **la catégorie grammaticale**, codée comme suit :
adj. (adjectif), adv. (adverbe), art. déf. / indéf. (article défini / indéfini), auxil. (auxiliaire), conj. (conjonction), gérond. (gérondif), inf. (infinitif), interj. (interjection), loc. (locution), n. m. / n. f. (nom masculin / féminin), n. pr. (nom propre), partit. (partitif), préf. (préfixe), prép. (préposition), pron. (pronom), v. (verbe)...

▦ **l'étymologie**, avec datations.

▦ Les verbes sont suivis d'un numéro qui renvoie à un modèle de conjugaison placé soit au début, soit à la fin de l'ouvrage.

■ *Chaque définition est illustrée par un exemple qui vise à rendre compte de ce qui se dit le plus souvent à une époque donnée (notre époque) ou une citation signée qui se présente comme une référence culturelle...*

▦ Les différents sens d'un même mot sont classés et numérotés en fonction d'un ordre historique (ordre d'apparition des sens dans la langue) et logique (chaque sens entretient une relation avec le précédent). C'est tout ce réseau de significations que l'article tente de mettre à jour.

▦ Les définitions sont complétées et clarifiées par des références aux synonymes, aux antonymes et aux éventuels homonymes.

▦ Lorsqu'un même mot présente plusieurs sens nettement différents (donc des étymologies différentes), le dictionnaire consacre généralement à chacun une rubrique spéciale, numérotée. Les numéros figurent alors devant le mot et non derrière.
Ainsi, le mot « noyer », dans le *Nouveau Petit Robert* :

> 1. **NOYER** [nwaje] v. tr. ⟨8⟩ — *neier* v. 1100 ; lat. *necare* « tuer ».
> **I. V. tr. 1.** Faire mourir, tuer par asphyxie en immergeant dans un liquide.
>
> 2. **NOYER** [nwaje] n. m. — 1487 ; *noier* v. 1150 ; lat. pop. ^{o}*nucarius*, de *nux* « noix » **1.** Arbre de grande taille *(juglandacées)*, à feuilles composées, à fleurs disposées en chatons pendants, et dont le fruit est la noix.

(Extrait de l'article « Noyer », *Nouveau Petit Robert 1, 1994*)

Voici, à partir d'un article tiré du *Nouveau Petit Robert,* l'explication des différents signes et abréviations utilisés :

> **LION** [ljɔ̃] n. m. — 1080 ; lat. *leo, leonis.*
> **I. 1.** Grand mammifère carnivore, grand félin à pelage fauve, à crinière brune et fournie, à queue terminée par une grosse touffe de poils, vivant en Afrique et en Asie. *Les lions de l'Atlas ont disparu. Rugissement du lion. Chasse au lion. L'antre* du lion. Fosse* aux lions.* « *C'était l'heure tranquille où les lions vont boire»* (Hugo). ◊ SPÉCIALT Cet animal, adulte et mâle. *Le lion, la lionne et les lionceaux.* **2.** LOC. *Se battre, se défendre comme un lion,* courageusement. *Tourner comme un lion en cage :* s'impatienter (avec une idée de force impuissante). *Se tailler la part du lion :* s'adjuger la plus grosse part.* — FAM. *Avoir bouffé du lion :* être animé d'une énergie ou d'une agressivité inaccoutumées. PROV. *Un chien vivant vaut mieux qu'un lion mort.* **3.** FIG. Personne courageuse. *C'est un lion! ⇒* **brave.** « *Vous êtes mon lion superbe et généreux* » (Hugo). ◊ (1833 ; angl. *lion)* VX Homme en vue, célèbre. — Homme à la mode (notamment de 1830 à 1860). **II. 1.** (1498 ; lat. *Leo,* allus. mythol. au *lion de Némée)* ASTRON. Constellation zodiacale de l'hémisphère boréal formée de 25 étoiles visibles à l'œil nu (dont le dessin général évoque un lion). ◊ ASTROL. Cinquième signe du zodiaque (23 juillet-22 août). — ELLIPT *Elle est Lion,* née sous le signe du Lion. **2.** (1611) *Lion de mer :* otarie à crinière.

(Nouveau Petit Robert 1, 1994)

• transcription phonétique du mot (entre crochets).

• étymologie du mot.

• présentation de l'article en deux parties (I et II), correspondant aux deux sens du mot *lion.* À l'intérieur de chaque partie, différents sens sont distingués :
I. Spécialt. ⟶ indique un emploi dans un sens plus étroit, moins étendu.
fig. ⟶ désigne le sens figuré.
vx ⟶ désigne un emploi ou un sens de l'ancienne langue, incompréhensible ou peu compréhensible de nos jours et jamais employé, sauf par effet de style : archaïsme.
II. Astron. ⟶ sens dans le vocabulaire de l'astronomie.
astrol. ⟶ sens dans le vocabulaire de l'astrologie.

• précision concernant le niveau de langue :
fam. ⟶ indique que l'expression concernée est employée dans un registre de langue familier correspondant à l'usage parlé ou même écrit de la langue courante, par opposition à un registre de langue soutenue.

• emploi du mot dans certaines expressions ou locutions :
loc. ⟶ emploi du mot dans une locution, c'est-à-dire un groupe de mots formant un tout et ne pouvant pas être modifié à volonté.
PROV. **⟶** emploi du mot dans un proverbe.

• indication de construction :
ellipt. ⟶ elliptiquement : présente une expression dans laquelle un terme attendu n'est pas exprimé ; ici : « née sous le signe du /... »

• citations (en caractères italiques).

S ENS PROPRE, SENS FIGURÉ

> « Donner est un mot pour qui il a tant d'aversion qu'il ne dit jamais :
> Je vous donne, mais : Je vous prête le bonjour. »
>
> (MOLIÈRE, *L'Avare*)

■ On dit qu'un mot est employé au sens propre lorsqu'il est employé dans son sens premier, c'est-à-dire son sens le plus simple et le plus courant.
Elle s'est mariée en blanc. (= habillée de blanc)

■ On dit qu'un mot est employé au sens figuré lorsque l'on passe d'une image concrète à des relations abstraites :
Ne laissez jamais traîner un chèque en blanc. (= un chèque non rempli)

■ **Le sens propre, ou sens premier, correspond souvent au sens étymologique mais ce n'est pas toujours le cas.**

On distingue alors le sens étymologique, le sens propre et le ou les sens figurés d'un mot.
Prenons le mot « tortue » ;
– au sens étymologique, il signifie « du Tartare (fleuve des Enfers), infernal », du latin *tartareus* ;
– au sens propre, il désigne un reptile à quatre pattes courtes :
Le lièvre et la tortue.
– au sens figuré, il désigne une personne très lente :
Quelle tortue !

■ **Un mot a généralement plusieurs sens figurés.**
Prenons le mot « opération », son sens changera selon qu'il sera employé par un chirurgien, un mathématicien ou un militaire...
Le chirurgien a programmé l'opération pour demain.
L'addition, la soustraction, la multiplication et la division sont les quatre opérations que tout élève doit maîtriser à l'entrée en 6e.
En revendant son appartement, il a fait une excellente opération.
Tous les hommes de la garnison sont partis en opération.

Le passage du sens propre au sens figuré

■ **Il n'est pas toujours facile de dire quel est le sens propre ou sens premier d'un mot polysémique.**
En effet, nous utilisons généralement l'un ou l'autre sens comme s'il s'agissait de deux mots différents, offrant des sens distincts.

Pourtant, le passage du sens propre aux sens figurés obéit à une forme de logique qui repose essentiellement sur **la ressemblance, l'analogie** (métaphore) ou **la proximité** (métonymie) entre le sens propre et le sens figuré créé.

■ **Un mot peut prendre des sens figurés :**

▪ **par passage du concret à l'abstrait :**
Une peinture à l'huile   *Une passion pour la peinture* (= en tant qu'art)

▪ **par passage de l'abstrait au concret :**
La politesse   *Faire des politesses à quelqu'un*

▪ **par ressemblance, analogie :**
La feuille d'un arbre   *Une feuille de papier*

▪ **par passage du contenant au contenu :**
Un verre à vin   *Boire un verre*

▪ **par passage de la matière à l'objet fabriqué :**
Le fer   *Croiser le fer* (= se battre à l'épée)

▪ **par passage du collectif au contenant :**
Le collège électoral   *Bâtir un collège*

▪ **par extension de sens :**
Un village de cinq cents âmes (= les habitants)

▪ **par passage de l'individuel au collectif :**
Un homme   *Les droits de l'homme*

▪ **par restriction de sens :**
Fortune désignait à l'origine le « sort » et ce qu'il peut apporter d'heureux ou de malheureux ; ce mot s'emploie aujourd'hui pour qualifier une série d'éléments dus à la chance, ou un ensemble de richesses.

▪ **par usure du mot :**
Gêner, jusqu'au XVIIe siècle, a signifié « torturer » avant de prendre le sens actuel de « mettre mal à l'aise ».

DU SENS PROPRE AU SENS FIGURÉ

Beaucoup d'expressions figées sont formées au moyen de mots pris au sens figuré. Toutes sont imagées, certaines poétiques, d'autres familières. Le corps humain, avec ses différentes parties, est par exemple une source inépuisable de formation d'expressions...

LA TÊTE

À la tête du client	→ comportement qui varie selon l'apparences des personnes
Agir à tête reposée	→ agir après le temps de la réflexion
Agir sur un coup de tête	→ agir de façon irréfléchie, sur une impulsion
Avoir la grosse tête	→ avoir des prétentions
Avoir la tête ailleurs	→ penser à autre chose, être distrait
Avoir la tête dans les nuages	→ –
Avoir la tête dure	→ être borné ou buté
Avoir la tête fêlée	→ être un peu fou
Avoir la tête près du bonnet	→ être colérique
Avoir la tête sur les épaules	→ être sensé, raisonnable
Avoir la tête vide	→ ne plus pouvoir réfléchir
Avoir ses têtes	→ ne montrer de sympathie qu'à certaines personnes
Avoir toute sa tête	→ être lucide
Avoir une bonne tête	→ inspirer confiance
Avoir une idée derrière la tête	→ avoir une intention cachée
Avoir une tête à claques	→ inspirer un sentiment d'agacement
Avoir une tête de bois	→ être borné ou buté
Casser la tête à quelqu'un	→ le fatiguer par ses paroles, son agitation
Chercher des poux dans la tête	→ chercher querelle
Crier à tue-tête	→ crier d'une voix si forte qu'elle étourdit
En avoir par-dessus la tête	→ être excédé
En mettre sa tête à couper	→ être absolument certain de quelque chose
En mettre sa tête sur le billot	→ –
Être bien dans sa tête	→ être à l'aise, avoir l'esprit libre
Être en tête à tête	→ être seul à seul, face à face
Être tête en l'air	→ être distrait, étourdi
Être un homme de tête	→ un homme qui a du bon sens
Être une forte tête	→ une personne qui s'oppose aux autres et fait ce qu'elle veut
Être une tête	→ avoir de grandes capacités intellectuelles ou de grandes connaissances
Être une tête brûlée	→ être une personne dangereusement aventureuse
Faire dresser les cheveux sur la tête	→ inspirer un sentiment d'horreur, effrayer
Faire la tête	→ bouder
Faire sa tête de cochon	→ être têtu, buté
Faire tourner la tête	→ griser, enivrer par des paroles

Faire une drôle de tête	→	avoir un air anormal, bizarre
Faire une tête au carré	→	frapper quelqu'un, le rouer de coups
Faire une tête d'enterrement	→	avoir un visage triste
Faire une tête de circonstance	→	être grave et triste
Faire une tête de six pieds de long	→	montrer un visage triste, maussade
Foncer tête baissée	→	agir sans prendre le temps de réfléchir
Garder la tête froide	→	ne pas s'affoler, rester calme
Jurer sur la tête de quelqu'un	→	promettre solennellement
Mettre du plomb dans la tête	→	faire réfléchir, rendre raisonnable
Mettre quelque chose	→	le persuader avec difficulté
dans la tête de quelqu'un		
N'avoir plus sa tête à soi	→	ne plus avoir tout son bon sens
N'avoir rien dans la tête	→	n'avoir ni idées, ni jugement
N'en faire qu'à sa tête	→	agir selon sa seule fantaisie
Ne pas avoir de tête	→	être écervelé
Ne savoir où donner de la tête	→	avoir trop d'occupations, se démener
Partir la tête basse	→	avoir honte
Partir la tête haute	→	avec dignité, sans honte
Perdre la tête	→	devenir fou
Piquer une tête	→	plonger la tête la première
Plier, courber la tête	→	se soumettre
Prendre la tête (se)	→	(se) tracasser
Risquer sa tête	→	se trouver dans une situation périlleuse
Sans queue ni tête	→	sans aucun sens
Se casser la tête	→	se fatiguer à, se tracasser
Se creuser la tête	→	faire un grand effort de réflexion, de mémoire
Se jeter à la tête de quelqu'un	→	faire des avances
Se mettre martel en tête	→	se faire du souci
Se mettre quelque chose	→	comprendre et retenir quelque chose, se persuader
dans la tête		
Se monter la tête	→	s'exciter
Se payer la tête de quelqu'un	→	se moquer de quelqu'un
Se taper la tête contre les murs	→	se désespérer
Servir de tête de turc	→	être en but aux moqueries
Tenir tête	→	opposer une résistance
Tête d'œuf	→	intellectuel (péjoratif) ; abruti
Tête de cochon	→	personne entêtée, terme d'injure
Tête de lard	→	–
Tête de mule	→	–
Tête de pioche	→	–
Tomber sur la tête	→	déraisonner

◼ L'ŒIL, LES YEUX

À l'œil	→ gratuitement
À vue d'œil	→ approximativement, de façon évidente
Accepter quelque chose les yeux fermés	→ en toute confiance, sans vérification
Avoir bon pied bon œil	→ avoir une allure vive et alerte
Avoir de la merde dans les yeux	→ ne pas voir une chose évidente
Avoir des yeux dans le dos	→ tout percevoir, être très vigilant
Avoir l'œil à tout	→ veiller à tout
Avoir l'œil américain	→ remarquer du premier coup d'œil
Avoir le compas dans l'œil	→ juger à vue d'œil, avec une grande précision
Avoir le coup d'œil	→ l'art d'observer rapidement et exactement
Avoir les yeux en face des trous	→ avoir une vision nette
Avoir les yeux plus gros que le ventre	→ prendre plus de nourriture qu'on ne peut en manger
Avoir un œil au beurre noir	→ avoir un œil marqué de noir, un hématome du fait d'une contusion
Avoir un œil de lynx	→ avoir une vue perçante
Avoir un œil qui joue au billard et l'autre qui compte les points	→ loucher
Avoir un œil qui dit merde à l'autre	→ –
Avoir une coquetterie dans l'œil	→ souffrir d'un léger strabisme
Avoir, tenir quelqu'un à l'œil	→ surveiller quelqu'un sans relâche

Coûter les yeux de la tête	→ être hors de prix, très cher
Couver des yeux	→ regarder avec un intérêt passionné
Crever les yeux	→ être évident

Être obéi au doigt et à l'œil	→ exactement, ponctuellement
Être tout yeux, tout oreilles	→ regarder, écouter très attentivement

Faire de l'œil	→ faire des clins d'œil, lancer des œillades
Faire des yeux de merlan frit	→ lever les yeux au ciel, en ne montrant que le blanc
Faire les gros yeux	→ regarder d'un air mécontent, sévère
Faire les yeux doux	→ regarder tendrement, amoureusement
Faire quelque chose pour les beaux yeux de quelqu'un	→ uniquement pour faire plaisir, sans y avoir d'intérêt
Fermer les yeux sur quelque chose	→ se refuser à voir ; faire comme si on n'avait pas vu
Frais comme l'œil	→ dispos, en excellente condition physique

Jeter de la poudre aux yeux	→ chercher à éblouir, souvent par de fausses apparences
Jeter un coup d'œil	→ parcourir d'un regard rapide

L'œil de Moscou	→ la surveillance occulte
L'œil du maître	→ la surveillance attentive du propriétaire

Le mauvais œil	→ regard auquel on attribue la propriété de porter malheur

Manger / dévorer des yeux	→ regarder avec convoitise
Mon œil !	→ se dit pour marquer l'incrédulité, le refus

N'avoir d'yeux que pour quelqu'un	→ ne voir qu'une personne, ne s'intéresser qu'à elle
N'avoir plus que ses yeux pour pleurer	→ avoir tout perdu
Ne dormir que d'un œil	→ en conservant son attention éveillée
Ne pas avoir les yeux dans sa poche	→ ne pas manquer d'observer ce qui pourrait échapper à quelqu'un de moins attentif
Ne pas avoir les yeux en face des trous	→ ne pas avoir une vision nette à cause de la fatigue, de l'ivresse
Ne pas avoir froid aux yeux	→ être audacieux, décidé
Ne pas en croire ses yeux	→ avoir du mal à admettre l'évidence
Ne pas fermer l'œil de la nuit	→ ne pas dormir

Ouvrir l'œil (et le bon)	→ être attentif, vigilant
Ouvrir les yeux à quelqu'un sur quelque chose	→ lui montrer ce qu'il se refusait à voir, lui révéler quelque chose

Regarder quelqu'un dans le blanc des yeux	→ regarder quelqu'un bien en face

S'arracher les yeux	→ se disputer violemment
Sauter aux yeux	→ frapper par son évidence
Se battre l'œil de quelque chose	→ se montrer indifférent àqqch, s'en moquer
Se mettre le doigt dans l'œil	→ se tromper grossièrement
Se rincer l'œil	→ regarder avec plaisir, faire du voyeurisme
Sortir par les yeux	→ ne plus être supportable

Taper dans l'œil de quelqu'un	→ plaire vivement et immédiatement à quelqu'un
Tenir à une chose comme à la prunelle de ses yeux	→ y tenir beaucoup
Tourner de l'œil	→ perdre connaissance, s'évanouir

Valoir le coup d'œil	→ valoir le détour
Voir quelque chose d'un bon œil	→ marquer de la bienveillance, de la satisfaction
Voir quelque chose d'un mauvais œil	→ marquer du déplaisir, de la désapprobation

 LA BOUCHE

(Motus et) bouche cousue !	→ gardez le secret !
Avoir l'eau à la bouche	→ être mis en appétit, désirer
Avoir l'injure à la bouche	→ être toujours prêt à dire des injures

Avoir plein la bouche de quelque chose	→ en parler continuellement et avec enthousiasme
Avoir toujours un même mot à la bouche	→ se répéter constamment, parler toujours du même sujet

De bouche à oreille	→ sans publicité, confidentiellement

Enlever le pain de la bouche à quelqu'un	→ le priver de sa subsistance
Être bouche bée devant quelqu'un	→ l'admirer sans réserve

Faire du bouche-à-bouche	→ effectuer un procédé de respiration artificielle
Faire la fine bouche	→ faire le difficile

Garder quelque chose pour la bonne bouche	→ garder le meilleur pour la fin

Parler par la bouche de quelqu'un	→ faire de quelqu'un son porte-parole
Paroles, nouvelles qui circulent de bouche en bouche	→ qui se transmettent d'une personne à une autre

Rester sur la bonne bouche	→ rester sur une bonne impression

S'enlever les morceaux de la bouche	→ se priver de nourriture, du nécessaire au profit de quelqu'un
Tourner sept fois sa langue dans sa bouche	→ réfléchir avant de parler

Une bouche inutile	→ une personne que l'on doit nourrir et qui ne rapporte rien
Une fine bouche	→ un gourmet

 L'OREILLE, LES OREILLES

Avoir de l'oreille	→ avoir l'ouïe fine et juste (en musique)
Avoir l'oreille de quelqu'un	→ en être écouté
Avoir l'oreille fine	→ avoir une grande acuité auditive
Avoir les oreilles qui sifflent	→ se dit de quelqu'un dont on a beaucoup parlé pendant son absence
Avoir quelque chose entre les oreilles	→ montrer de l'intelligence

Casser les oreilles	→ faire trop de bruit
Ce n'est pas tombé dans l'oreille d'un sourd	→ se dit de paroles qui ont été mises à profit

Dire quelque chose dans le creux de l'oreille	→	dire un secret, à voix basse
Dormir sur ses deux oreilles	→	être confiant, ne pas s'inquiéter
Dresser l'oreille	→	écouter attentivement, diriger son attention

Échauffer les oreilles de quelqu'un	→	fâcher, énerver quelqu'un
Être dur d'oreille	→	être un peu sourd
Être tout oreilles	→	écouter avec la plus grande attention

Faire la sourde oreille	→	feindre de ne pas entendre, d'ignorer une demande
Fermer l'oreille, les oreilles à quelque chose	→	refuser d'écouter

Mettre la puce à l'oreille	→	intriguer, éveiller des doutes, des soupçons
Montrer le bout de l'oreille	→	se trahir

N'écouter que d'une oreille	→	être inattentif
Ne pas en croire ses oreilles	→	avoir du mal à admettre quelque chose
Ne pas l'entendre de cette oreille	→	ne pas être d'accord, refuser une proposition, une suggestion

Prêter l'oreille	→	essayer d'entendre, écouter avec attention
Prêter une oreille attentive à quelque chose	→	écouter avec intérêt, attention

Rebattre les oreilles à quelqu'un de quelque chose	→	répéter sans cesse quelque chose à quelqu'un
Rentrer par une oreille et sortir par l'autre	→	se dit d'un message que l'on ne retient pas, auquel on ne prête pas attention
Rougir jusqu'aux oreilles	→	rougir fortement

S'en aller l'oreille basse	→	partir, s'en aller confus, honteux, humilié
Se faire tirer l'oreille	→	se faire prier, ne pas céder aisément
Se faire tirer les oreilles	→	se faire réprimander

Tendre l'oreille	→	s'efforcer d'entendre quelque chose

 LE NEZ

À plein nez	→	très fort (se dit d'une odeur)
À vue de nez	→	d'après une première estimation, approximativement
Au nez de quelqu'un	→	devant lui, sans se cacher (avec une idée de provocation)
Au nez et à la barbe de quelqu'un	→	devant lui, en dépit de sa présence
Avoir du nez, le nez creux	→	avoir du flair, de la perspicacité
Avoir le nez qui remue	→	mentir

139

Avoir le nez sur quelque chose	→ être tout près
Avoir quelqu'un dans le nez	→ détester quelqu'un
Avoir un verre dans le nez	→ être un peu ivre
Baisser le nez	→ baisser la tête, en signe de honte, de dépit
Claquer la porte au nez de quelqu'un	→ congédier ; rebuter avec brusquerie
Faire un long nez, un drôle de nez	→ faire une moue de déception, de dépit
Faire un pied de nez à quelqu'un	→ geste de dérision qui consiste à étendre la main, doigts écartés, en appuyant le pouce sur son nez
Gagner les doigts dans le nez	→ gagner aisément, sans aucune difficulté
La moutarde lui monte au nez	→ l'impatience, la colère le gagne
Le nez en l'air, au vent	→ traîner, flâner la tête levée
Mener quelqu'un par le bout du nez	→ mener une personne à sa guise
Mettre (fourrer) son nez dans les affaires d'autrui	→ les examiner, s'en mêler indiscrètement
Mettre à quelqu'un le nez dans son caca	→ forcer quelqu'un à reconnaître ses torts, en lui infligeant une humiliation
Mettre le nez dehors	→ sortir
Montrer (le bout de) son nez	→ se montrer à peine, apparaître
Ne pas voir plus loin que le bout de son nez	→ manquer de prévoyance
Parler du nez	→ parler comme si on avait le nez bouché
Passer sous le nez de quelqu'un	→ lui échapper après avoir semblé être à sa portée
Pendre au nez de quelqu'un	→ se dit d'un événement sur le point d'arriver
Piquer du nez	→ s'endormir en laissant tomber sa tête en avant
Regarder quelqu'un sous le nez	→ examiner avec indiscrétion
Retomber sur le nez de quelqu'un	→ rejaillir sur lui
Rire au nez de quelqu'un	→ se moquer ouvertement de quelqu'un
Se bouffer le nez	→ se disputer violemment
Se casser le nez	→ échouer
Se casser le nez à la porte de quelqu'un	→ trouver porte close
Se noircir le nez	→ s'enivrer
Se piquer le nez	→ s'enivrer
Se trouver nez à nez avec quelqu'un	→ rencontrer à l'improviste
Se voir comme le nez au milieu de la figure	→ être évident
Tirer les vers du nez à quelqu'un	→ faire parler, questionner habilement

LA DENT, LES DENTS

Accepter du bout des dents	→ avec réticence, à contrecœur
Avoir la dent	→ avoir faim (familier)
Avoir la dent dure	→ être très sévère, dur dans la critique
Avoir les dents du fond qui baignent	→ être soûl ; avoir envie de vomir
Avoir les dents longues, qui rayent le parquet	→ être avide, avoir de grandes ambitions
Avoir, garder une dent contre quelqu'un	→ éprouver de la rancune, du ressentiment à son égard

Claquer des dents	→ avoir froid
Coup de dent	→ critique acerbe
Croquer, dévorer, mordre à belles dents	→ de bon appétit, avec avidité

Déchirer quelqu'un à belles dents	→ calomnier, critiquer violemment quelqu'un

Être armé jusqu'aux dents	→ être très bien armé
Être sur les dents	→ être sur le qui-vive ; très occupé, surmené

Grincer des dents	→ ressentir de la douleur, montrer de l'agacement

Manger du bout des dents	→ sans appétit
Mentir comme un arracheur de dents	→ mentir effrontément, continuellement
Montrer les dents à quelqu'un	→ avoir une attitude menaçante

N'avoir rien à se mettre sous la dent	→ n'avoir rien à manger
Ne pas desserrer les dents	→ se taire obstinément

Parler entre ses dents	→ parler peu distinctement, sans ouvrir la bouche
Prendre le mors aux dents	→ se mettre soudainement et avec énergie à un travail

Se casser les dents sur quelque chose	→ échouer en raison d'une difficulté, d'une résistance
Se faire les dents	→ s'entraîner, s'aguerrir
Serrer les dents	→ s'apprêter à un dur effort, supporter une chose désagréable sans broncher

LA LANGUE

Avoir avalé sa langue	→ rester obstinément silencieux
Avoir la langue bien pendue	→ parler facilement, être bavard
Avoir perdu sa langue	→ ne pas répondre quand on est interrogé

Avoir un bœuf sur la langue	→	garder un silence obstiné, être empêché de parler
Avoir un cheveu sur la langue	→	zézayer
Avoir un mot sur le bout de la langue	→	ne pas trouver un mot tout en étant sûr de le connaître
Délier la langue de quelqu'un	→	le faire parler
Donner sa langue au chat	→	s'avouer incapable de trouver une solution à un problème posé
Être une méchante, une mauvaise langue	→	ne pas hésiter à médire, à calomnier
Être une langue de vipère	→	–
La langue lui a fourché	→	il a prononcé un mot au lieu d'un autre, par méprise
Ne pas avoir la langue dans sa poche	→	parler avec facilité et, notamment, répliquer
Ne pas savoir tenir sa langue	→	ne pas savoir se taire quand il le faudrait
Prendre langue avec quelqu'un	→	prendre contact en vue d'un entretien
Se mordre la langue	→	se retenir de parler, ou se repentir d'avoir parlé
Re)Tenir sa langue	→	s'empêcher de parler, par prudence ou discrétion
Tirer la langue	→	avoir soif ; être dans le besoin, désirer ardemment quelque chose sans obtenir satisfaction
Tourner sept fois sa langue dans sa bouche	→	réfléchir avant de parler

LE BRAS

Avoir le bras long	→	avoir du crédit, des relations influentes
Avoir quelqu'un ou quelque chose sur les bras	→	en être chargé, embarrassé
Avoir un bras de fer	→	montrer une grande autorité, une volonté inflexible
Baisser les bras	→	renoncer à poursuivre (une action)
Couper bras et jambes à quelqu'un	→	enlever les moyens d'action, paralyser d'étonnement, décourager
En bras de chemise	→	sans veston, en tenue négligée
Être le bras armé de quelqu'un (quelque chose)	→	être l'exécutant
Être le bras droit de quelqu'un	→	être son principal agent d'exécution

Faire un bras d'honneur	⇾	faire un geste injurieux
Frapper à tour de bras	⇾	de toute la force du bras
Jouer les gros bras	⇾	jouer les durs
Les bras m'en tombent	⇾	je suis stupéfait
Lever les bras au ciel	⇾	prendre le ciel à témoin
Recevoir quelqu'un à bras ouverts	⇾	l'accueillir avec effusion, empressement
Rester les bras ballants	⇾	rester sans rien faire, se montrer passif
Rester les bras croisés	⇾	attendre sans réagir
S'endormir dans les bras du Seigneur	⇾	mourir
Saisir à bras-le-corps	⇾	avec les bras et par le milieu du corps
Se jeter dans les bras de quelqu'un	⇾	faire des avances, se donner hâtivement
Se réfugier dans les bras de quelqu'un	⇾	se mettre sous sa protection
Tendre les bras vers quelqu'un	⇾	implorer l'aide de quelqu'un
Tendre, ouvrir les bras à quelqu'un	⇾	lui porter secours, lui pardonner
Tenir à bout de bras	⇾	en déployant de grands efforts, sans aide
Tomber à bras raccourcis sur quelqu'un	⇾	agresser, frapper avec la plus grande violence
Une partie de bras de fer	⇾	une épreuve de force

 LA MAIN, LES MAINS

À la main de quelqu'un	⇾	à la portée de quelqu'un
À mains nues	⇾	sans protection
Applaudir des deux mains	⇾	approuver entièrement
Arriver les mains vides	⇾	se présenter sans rien à offrir
Avoir bien en main quelqu'un, quelque chose	⇾	exercer une autorité incontestée sur quelqu'un, être le maître de quelque chose
Avoir des mains de beurre	⇾	laisser tout échapper, être maladroit
Avoir des mains en or	⇾	être très adroit, très habile
Avoir la haute main dans une affaire	⇾	y avoir l'autorité, la part prépondérante
Avoir la main baladeuse	⇾	se permettre des attouchements impudiques
Avoir la main heureuse	⇾	réussir dans ce que l'on entreprend
Avoir la main leste	⇾	être prompt à frapper, à gifler
Avoir la main lourde	⇾	châtier sévèrement ; mesurer, peser, verser en trop grande abondance, en quantité excessive
Avoir la main malheureuse	⇾	échouer dans ce que l'on entreprend

Avoir la main ouverte	→ être généreux
Avoir la main verte	→ être habile à cultiver les plantes
Avoir le cœur sur la main	→ être généreux
Avoir les mains libres	→ jouir de sa liberté d'action
Avoir quelque chose sous la main	→ avoir à sa portée, à sa disposition
Avoir un poil dans la main	→ être très paresseux
Avoir une main de fer	→ avoir une autorité ferme, rigoureuse
Avoir, faire la main, être à la main	→ distribuer les cartes, être banquier, au baccara
Avoir, tenir en main une affaire	→ mener une affaire à sa guise

Clés en mains	→ prêt à l'usage
Coup de main	→ attaque rapide ; aide momentanée ; façon adroite de procéder

De la main à la main	→ sans intermédiaire ou sans formalités
De longue main	→ depuis longtemps
De main de maître	→ avec habileté, maestria
Demander la main d'une jeune fille	→ demander la permission de l'épouser
De seconde main	→ se dit d'un objet d'occasion qui a eu deux propriétaires précédents
Dessiner à main levée	→ dessiner en ne posant pas la main, d'un seul trait
Donner la main à quelqu'un pour faire quelque chose	→ aider
Du cousu main	→ facile, très bien préparé

En mettre sa main à couper	→ être sûr, avoir une conviction
En mettre sa main au feu	→ –
En un tour de main	→ très vite
En venir aux mains	→ en arriver à échanger des coups, se battre
Être en de bonnes mains	→ dans la possession, sous la surveillance d'une personne fiable, compétente
Être pris la main dans le sac	→ être surpris, pris sur le fait

Faire des pieds et des mains	→ se démener, employer tous les moyens
Faire main basse sur quelque chose	→ prendre, emporter, voler
Forcer la main à quelqu'un	→ faire agir quelqu'un contre son gré

Grand comme la main	→ très petit

Haut les mains ! les mains en l'air !	→ sommation faite à une personne que l'on menace d'une arme à feu
Homme de main	→ qui exécute les basses besognes pour le compte d'autrui

La main de Moscou	→ le pouvoir occulte
La main lui démange	→ il a grande envie de frapper, de se battre
Les mains dans les poches	→ sans rien faire, sans effort
Lever, porter la main sur quelqu'un	→ pour le battre, le frapper
Lier les mains à quelqu'un	→ lui ôter toute possibilité d'action

Manger dans la main de quelqu'un	→	lui être soumis, comme un animal apprivoisé
Marcher la main dans la main	→	agir en parfait accord
Mettre à quelqu'un le marché	→	proposer un marché à quelqu'un
en mains		
Mettre la dernière main à un travail	→	le finir, le terminer
Mettre la main à la pâte	→	travailler soi-même à quelque chose, aider
Mettre la main au collet	→	se saisir de lui, l'appréhender
de quelqu'un		
Mettre la main sur quelqu'un,	→	trouver ; prendre, s'emparer de
quelque chose		

Ne pas y aller de main morte	→	frapper rudement, intervenir avec violence
Négocier (en) sous-main	→	négocier en secret

Passer la main	→	abandonner, déléguer (des pouvoirs), renoncer (à des prérogatives, etc.)
Passer la main dans le dos	→	flatter quelqu'un
de quelqu'un		
Perdre la main	→	perdre son habileté manuelle, son savoir-faire
Pratiquer la politique de	→	adopter une attitude de réconciliation
la main tendue		
Prendre en main(s)	→	prendre en charge, se charger de
Prendre son courage à deux mains	→	se décider malgré la difficulté, la peur, la timidité
Préparer quelque chose de	→	préparer par soi-même
sa blanche main		
Prêter la main à un crime	→	être complice d'un méfait
Prêter la main à un projet	→	favoriser un projet
Prêter main-forte à quelqu'un	→	accorder de l'aide pour exécuter quelque chose, généralement dans des circonstances difficiles
Puiser à pleines mains	→	se servir largement

Recevoir, tenir de première main	→	obtenir quelque chose directement, de la source
Remettre en main(s) propre(s)	→	remettre quelque chose au destinataire en personne
Rentrer, revenir les mains vides	→	rentrer bredouille, sans avoir rien pu obtenir
Réussir haut la main	→	réussir avec brio, en surmontant aisément tous les obstacles
Rien dans les mains,	→	formule indiquant qu'on ne dissimule rien, qu'on
rien dans les poches		joue franc jeu

Se faire la main	→	s'exercer
Se frotter les mains	→	expression de contentement
Se laver les mains	→	décliner toute responsabilité qui en découle, ne
de quelque chose		plus s'en préoccuper
Se prendre par la main	→	s'obliger à faire quelque chose
Se salir les mains	→	se compromettre gravement

Tendre la main	→	mendier
Tendre la main à quelqu'un	→	offrir son amitié, son pardon, son aide
Tour de main	→	mouvement adroit qu'accomplit une main exercée

Un homme à toutes mains	→	un homme capable de faire divers travaux
Une petite main	→	apprentie couturière
Un revers de main	→	coup donné avec le revers de la main

▋ LE PIED, LES PIEDS

Attendre quelqu'un de pied ferme	→	l'attendre sans crainte, prêt à l'affronter
Au petit pied	→	en petit, en raccourci
Au pied de la lettre	→	au sens propre, exact du terme
Au pied levé	→	sans préparation
Avoir bon pied, bon œil	→	être alerte
Avoir le pied à l'étrier	→	être bien placé pour réussir dans la carrière où l'on s'engage
Avoir le pied marin	→	garder son équilibre sur un bateau, ne pas avoir le mal de mer
Avoir les deux pieds dans le même sabot	→	être empêtré, gauche ; être passif et sans initiative
Avoir les pieds nickelés	→	refuser d'agir, se montrer habituellement paresseux
Avoir les pieds sur terre	→	être réaliste
Avoir pied	→	pouvoir, en touchant du pied le fond, avoir la tête hors de l'eau
Avoir un pied dans la fosse, dans la tombe	→	être très vieux ou moribond

C'est (pas) le pied	→	c(e) (n')est (pas) agréable, ça (ne) va (pas)
Casser les pieds à quelqu'un	→	l'importuner
Couper l'herbe sous le pied à quelqu'un	→	frustrer quelqu'un d'un avantage en le devançant, en le supplantant

| *D'arrache-pied* | → | en fournissant un effort intense |

Être à pied d'œuvre	→	être prêt à agir
Être pieds et poings liés	→	ne pouvoir agir d'aucune façon
Être sur le pied de guerre	→	être équipé et prêt à partir, à agir
Être sur pied	→	être debout, levé ; être guéri, rétabli
Être sur un pied d'égalité avec quelqu'un	→	être son égal
Être traité, reçu sur (le, un) pied de...	→	comme..., au rang de...

Faire des pieds et des mains	→	se démener, employer tous les moyens
Faire du pied à quelqu'un	→	poser le pied sur le sien (pour discrètement l'avertir, signifier une attirance, etc.)
Faire le pied de grue	→	attendre longtemps debout
Faire les pieds à quelqu'un	→	lui donner une bonne leçon, lui apprendre à vivre
Faire un appel du pied	→	inviter, proposer de façon allusive
Faire un pied de nez	→	un geste de dérision qui consiste à étendre la main,

		doigts écartés, en appuyant le pouce sur son nez
Foncer pied au plancher	→	appuyer à fond sur la pédale d'accélérateur d'une automobile
Fouler aux pieds	→	traiter avec le plus grand mépris

Jouer comme un pied	→	très mal

Lâcher pied	→	flancher, être dépassé, renoncer
Le coup de pied de l'âne	→	la dernière attaque ou insulte que le faible lance lâchement contre un adversaire accablé
Lever le pied	→	ralentir

Marcher en pieds de chaussettes	→	sans chaussures
Marcher sur les pieds de quelqu'un	→	lui manquer d'égards, chercher à l'évincer
Mettre à quelqu'un le pied à l'étrier	→	l'aider en lui procurant les moyens de réussir
Mettre le pied dehors	→	sortir
Mettre les pieds dans le plat	→	aborder une question délicate avec une franchise brutale ; commettre une indélicatesse
Mettre les pieds quelque part	→	se rendre quelque part
Mettre quelqu'un à pied	→	suspendre quelqu'un dans ses fonctions
Mettre quelqu'un au pied du mur	→	l'acculer à, lui enlever toute échappatoire
Mettre sur le même pied	→	mettre sur le même plan
Mettre sur pied une affaire	→	monter une affaire, la mettre en état de commencer son activité

Ne pas savoir sur quel pied danser	→	ne plus savoir que faire, hésiter
Ne pas se moucher du pied	→	se prendre pour quelqu'un d'important
Ne pouvoir remuer ni pied ni patte	→	être complètement immobilisé

Ôter à quelqu'un une épine du pied	→	délivrer quelqu'un d'un sujet de contrariété, d'une difficulté

Partir les pieds devant	→	mourir
Perdre pied	→	être perdu, ne plus avoir de repère, de ligne de conduite
Pied-noir	→	Français d'Algérie
Pied-à-terre	→	logement qu'on occupe occasionnellement
Prendre le contre-pied de	→	soutenir exactement le contraire
Prendre pied	→	s'établir solidement sur un territoire
Prendre son pied	→	jouir, prendre du plaisir

Ramper, se rouler aux pieds de quelqu'un	→	montrer une soumission absolue, supplier
Retomber sur ses pieds	→	retrouver un équilibre après avoir été en difficulté

Sauter à pieds joints sur une occasion	→	saisir une opportunité sans hésiter
Se défendre pied à pied	→	en ne cédant que très peu, et sous la contrainte

Se lever du pied gauche	→	être de mauvaise humeur, mal commencer la journée
Sécher sur pied	→	s'ennuyer, se morfondre
Traîner des / les pieds	→	renâcler à faire quelque chose
Trouver chaussure à son pied	→	trouver, rencontrer ce qui convient (une femme, un mari)
Vivre sur un grand pied	→	en dépensant beaucoup

▋ LE CŒUR

À cœur joie	→	avec délectation, jusqu'à satiété
Aller droit au cœur	→	toucher, émouvoir
Avoir bon cœur	→	être généreux
Avoir du cœur à l'ouvrage	→	être enthousiaste pour son travail
Avoir le cœur gros	→	avoir du chagrin
Avoir le cœur au bord des lèvres	→	être prêt à vomir
Avoir le cœur bien accroché	→	ne pas être facilement écœuré, dégoûté
Avoir le cœur en bandoulière	→	être toujours disponible
Avoir le cœur qui bat la chamade	→	avoir le cœur qui bat à grands coups sous l'emprise d'une émotion
Avoir le cœur sur la main	→	être très généreux, serviable
Avoir mal au cœur	→	avoir des nausées
Avoir quelque chose sur le cœur	→	garder de la rancune
Avoir un cœur d'artichaut	→	être inconstant en amour ou exagérément sensible
Avoir un cœur d'or	→	être extrêmement généreux
Avoir un cœur de marbre	→	être dur, indifférent
Avoir un cœur de pierre	→	être dur, impitoyable
Avoir une pierre à la place du cœur	→	–
Avoir, prendre quelque chose à cœur	→	y prendre un intérêt passionné
Connaître quelqu'un par cœur	→	connaître parfaitement son caractère, sa vie
D'un cœur léger	→	avec insouciance et plaisir
De bon cœur	→	volontiers
De gaieté de cœur	→	avec toute la sincérité de l'émotion
De tout son cœur	→	de toutes ses forces
Du fond du cœur	→	dans son for intérieur
En avoir le cœur net	→	être éclairé sur un point, s'assurer de quelque chose
Être sans cœur	→	être dur, sans pitié
Faire battre le cœur	→	donner des émotions
Faire contre mauvaise fortune bon cœur	→	supporter l'adversité sans se décourager

Faire la bouche en cœur	→ affecter l'amabilité
Faire le joli cœur	→ avoir des manières prétentieuses pour séduire
Faire quelque chose à contrecœur	→ agir contre son gré, à regret
Fendre le cœur	→ faire éprouver un vif sentiment de chagrin, de pitié
Gagner le cœur de quelqu'un	→ le conquérir, lui plaire
Le cœur me manque	→ le courage me manque
Le cri du cœur	→ expression non maîtrisée d'un sentiment sincère
Mettre du baume au cœur	→ adoucir les peines, calmer la douleur, l'inquiétude
Mettre du cœur au ventre	→ donner du courage
N'avoir de cœur à rien	→ manquer d'enthousiasme, de goût, d'intérêt
Ne pas porter quelqu'un dans son cœur	→ avoir de l'hostilité, de la rancune
Ouvrir son cœur	→ avouer, se confier, se livrer
Par cœur	→ de mémoire
Parler à cœur ouvert	→ parler avec franchise, sincérité
Peine de cœur	→ chagrin d'amour
Réchauffer le cœur	→ réconforter
Serrer le cœur	→ faire de la peine, faire pitié
Si le cœur vous en dit	→ si vous en avez le désir, le goût, l'envie
Soulever le cœur	→ dégoûter, écœurer
Tenir à cœur	→ considéré comme très important
Un bourreau des cœurs	→ homme à succès, séducteur
Un coup au cœur	→ forte émotion
Un coup de cœur	→ enthousiasme subit pour quelque chose ou quelqu'un
Un fromage fait à cœur	→ jusqu'au centre
Venir du cœur	→ être spontané, sincère
Y aller de bon cœur	→ agir avec énergie

 LA JAMBE, LES JAMBES

Avoir des jambes de vingt ans	→ être alerte
Avoir les jambes coupées	→ être stupéfait
Avoir les jambes en coton / en compote / en flanelle / en pâté de foie	→ se sentir très faible

Courir, s'enfuir à toutes jambes	→ s'enfuir le plus vite possible
En avoir plein les jambes	→ avoir trop marché, être fatigué
Être dans les jambes de quelqu'un	→ importuner quelqu'un par sa présence
Faire des ronds de jambe	→ faire des courbettes, des politesses exagérées
Faire une belle jambe à quelqu'un	→ ne servir, n'avancer à rien, en parlant d'un avantage apparent
Jeu de jambes	→ aptitude à mouvoir et disposer les jambes en sport
Jouer des jambes	→ partir en courant
La peur lui coupe les jambes	→ la peur le paralyse
La peur lui donne des jambes	→ la peur lui donne la force de marcher, de courir
Lâche-moi la jambe !	→ laisse-moi tranquille !
N'avoir plus de jambes	→ ne plus avoir la force de marcher
Partie de jambes en l'air	→ ébats sexuels
Prendre ses jambes à son cou	→ se sauver au plus vite
S'en aller la queue entre les jambes	→ s'en aller piteusement après un échec
Se mettre en jambes	→ s'échauffer avant l'effort
Tenir la jambe à quelqu'un	→ retenir, importuner quelqu'un par des bavardages
Tirer dans les jambes de quelqu'un	→ lui nuire, le desservir de façon peu loyale
Traiter quelqu'un, faire quelque chose par-dessus la jambe	→ sans égard, de façon désinvolte
Un emplâtre sur une jambe de bois	→ un remède inadapté, une mesure inefficace

BESTIAIRE AU FIGURÉ

Il est amusant de constater que les noms d'animaux se prêtent souvent aux expressions figurées pour qualifier de façon péjorative et populaire des individus peu agréables à fréquenter ou des situations désagréables.

Aigle

Souvent employé dans une phrase négative, il désigne alors une personne peu intelligente :
« *Ce n'est pas un aigle.* »

Alouette

« *Le miroir aux alouettes* » désigne un piège séduisant qui fascine et qui trompe.
D'une personne qui ne veut pas se donner la moindre peine, on dit :
« *Il attend que les alouettes lui tombent toutes rôties.* »

Âne

Ignorant ou individu à l'esprit borné, incapable de rien comprendre :
« *Quel âne !* »
« *Le pont aux ânes* », c'est une banalité connue de tous.

Anguille

Individu agile, insaisissable, tortueux :
« *C'est une véritable anguille.* »
« *Il y a anguille sous roche* » : il y a une chose cachée qu'on soupçonne.

Araignée

« *Avoir une araignée au plafond* », c'est avoir l'esprit quelque peu dérangé.

Autruche

Faire « *la politique de l'autruche* », c'est refuser de voir le danger.

Bécasse

Sotte, nigaude :
« *Quelle bécasse !* »

Bécassine

Jeune fille niaise.

Bique

« *Une vieille bique* » est une vieille femme méchante.
« *Une grande bique* » est une grande fille maigre.

Bouc

Personne qui sent très mauvais :
« *Il pue le bouc.* »
« *Un bouc émissaire* » est une personne sur laquelle on fait retomber les torts des autres.

Brebis

« *Une brebis galeuse* » est une personne dangereuse, indésirable dans un groupe.
« *Ramener la brebis égarée* », c'est sauver quelqu'un d'un mauvais pas.

Buse

Personne sotte et ignorante :
« *Triple buse !* »

Cafard	Personne qui affecte l'apparence de la dévotion : « *C'est un tartufe, un cafard.* » Personne qui dénonce sournoisement les autres : « *Le cafard cafarde.* » « *Avoir le cafard* », c'est avoir des idées noires.
Caméléon	Personne qui change d'opinion, de conduite ou de langage en fonction des situations et toujours au mieux de son intérêt : Les courtisans, « *peuple caméléon, peuple singe du maître* » (La Fontaine).
Canard	Personne mal adaptée au milieu dans lequel elle se trouve : « *C'est le canard boiteux du groupe.* »
Carpe	Personne qui ne parle pas beaucoup ou pas du tout : « *Quelle carpe !* »
Chacal	Désigne de façon péjorative un homme avide, cruel, qui tire avantage des succès des autres et s'acharne sur les perdants.
Chameau	Dans le langage familier, « *chameau* » est un terme d'insulte envers une personne méchante, désagréable : « *Ah ! le chameau ! il n'a pas voulu me laisser entrer, sous prétexte que je n'avais pas d'invitation.* »
Chat(te)	Personne câline : « *Elle est chatte.* » « *Avoir un chat dans la gorge* », c'est être enroué.
Cheval	Personne obstinée, infatigable : « *C'est un vrai cheval (de labour).* » Grande femme d'allure masculine : « *C'est un grand cheval.* » Personne sans méchanceté : « *Ce n'est pas le mauvais cheval.* » « *Un cheval de retour* » désigne un ancien forçat ou un récidiviste.
Chèvre	« *Faire devenir chèvre* », c'est embêter, faire enrager quelqu'un.
Chien	Terme d'injure : « *Chien !* » Personne dure, méchante : « *Il est vraiment chien.* » « *Une vie de chien* » désigne une existence particulièrement pénible. « *Un temps de chien* », c'est un temps détestable. « *Un mal de chien* », c'est une douleur intense.
Chouette	Vieille femme laide, acariâtre : « *Quelle vieille chouette !* »

Cobaye	« *Servir de cobaye* », c'est être utilisé comme sujet d'expérience.
Cochon	Personne qui est sale ou qui salit : « *Quel cochon !* » Individu qui a le goût des obscénités : « *C'est un vieux cochon !* » Personne grossière, immorale. « *Un tour de cochon* », c'est un sale tour.
Coq	Homme qui séduit ou se vante de séduire de nombreuses femmes : « *C'est un vrai coq.* »
Corbeau	Auteur de messages anonymes : « *Le corbeau a inondé la ville de ses lettres anonymes.* » Homme avide et sans scrupules.
Couleuvre	Personne très paresseuse : « *C'est une vraie couleuvre.* » « *Avaler des couleuvres* », c'est subir des affronts, se laisser humilier sans protester ou encore croire tout ce qui se dit.
Crabe	Vieil homme têtu : « *Vieux crabe !* » « *Panier de crabes* » : milieu dont les membres cherchent à se nuire, se déchirent.
Crocodile	« *Verser des larmes de crocodile* », c'est verser des larmes hypocrites pour émouvoir et tromper. C'est aussi pleurer facilement et en abondance.
Dinde	Femme stupide : « *Quelle petite dinde !* »
Dindon	« *Être le dindon de la farce* », c'est être la victime, la dupe dans une affaire.
Éléphant	Personnage important d'un parti politique : « *C'est un éléphant du parti démocrate.* » Personne maladroite qui intervient dans une affaire délicate : « *C'est un éléphant dans un magasin de porcelaine.* »
Escargot	Personne qui agace par sa lenteur : « *Il avance comme un escargot.* »
Faisan	Individu qui vit d'affaires louches.
Faucon	Partisan de la force dans le règlement d'un conflit : « *C'est un va-t-en-guerre, un faucon.* »
Fouine	Personne désagréablement curieuse : « *C'est une vraie fouine.* »

Fourmi	Personne laborieuse, économe : « *C'est une vraie fourmi.* »
Fretin	Le « *menu fretin* » désigne ce qu'on considère comme négligeable ou insignifiant dans un groupe, une collection : « *C'est du menu fretin.* »
Grenouille	Une « *grenouille de bénitier* » désigne une bigote. La « *mare aux grenouilles* » se rapporte à un milieu politique malhonnête.
Grue	Prostituée : « *Sale petite grue !* »
Guêpe	Femme rusée : « *C'est une fine guêpe.* » De quelqu'un qui a trop de ruse pour se laisser tromper, on dit familièrement : « *Pas folle la guêpe !* »
Hareng	Injure : « *Peau d'hareng !* » « *La caque sent toujours le hareng* » signifie que l'on garde toujours la trace de ses origines, ou de ses fréquentations surtout si elles sont basses ou peu recommandables.
Hibou	Homme triste, solitaire : « *C'est un vieux hibou taciturne.* »
Lapin(e)	Femme très prolifique : « *C'est une lapine.* » « *Un chaud lapin* » est un homme porté sur les plaisirs de l'amour. « *Poser un lapin* », c'est ne pas venir au rendez-vous qu'on a fixé.
Larve	Être inférieur, végétatif, qui paraît ne pas avoir complètement évolué : « *Il ne proteste pas, ne réagit pas, c'est une vraie larve.* »
Lézard	« *Faire le lézard* », c'est se chauffer paresseusement au soleil.
Limace	Personne qui agace par sa lenteur : « *Quelle limace !* »
Limande	Personne servilement soumise.
Linotte	Personne écervelée, agissant à la légère : « *C'est une vraie tête de linotte.* »
Loup	« *Un jeune loup* » est un politicien, un homme d'affaires jeune et ambitieux. « *Laisser entrer le loup dans la bergerie* », c'est laisser pénétrer un individu dangereux, malfaisant, dans un lieu où il peut faire du mal.

Mante	« *Une mante religieuse* » désigne une femme cruelle avec les hommes, qui les « dévore ».
Maquereau	Dans le langage populaire, désigne un souteneur.
Merlan	« *Faire des yeux de merlan frit* », c'est lever les yeux au ciel de façon ridicule en ne montrant que le blanc des yeux.
Merle	Personnage peu recommandable : « *C'est un vilain merle.* »
Moineau	Individu désagréable ou méprisable : « *C'est un drôle de moineau.* »
Mouche	Personne habile, rusée : « *C'est une fine mouche.* » « *Faire la mouche du coche* », c'est s'agiter beaucoup sans rendre de réels services.
Moustique	Enfant ou personne minuscule.
Mouton	Personne crédule et passive, qui se laisse facilement mener ou berner. « *Un mouton noir* » est une personne gênante ou indésirable dans un groupe. Par référence à l'épisode des « *moutons de Panurge* », dans le *Quart Livre* de Rabelais, on désigne sous ce terme ceux qui s'empressent de faire une chose simplement pour faire comme les autres. « *Un mouton à cinq pattes* » désigne une personne ou une chose extrêmement rare. « *Un mouton enragé* » est une personne habituellement paisible qui cède soudain à une violente colère.
Mule	Personne très entêtée : « *Quelle tête de mule !* »
Oie	Personne très sotte, niaise. « *Une oie blanche* » désigne plus particulièrement une jeune fille naïve, très innocente.
Oiseau	On dit d'une personne qui vient apporter une mauvaise nouvelle : « *C'est un oiseau de mauvais augure* » ou « *c'est un oiseau de malheur.* »
Ours	Homme qui fuit la société et recherche la solitude : « *C'est un vieil ours.* » « *Un ours mal léché* » est un être à l'aspect rébarbatif, aux manières grossières.

Paon	Personne vaniteuse, orgueilleuse. De quelqu'un qui se prévaut de mérites qui appartiennent à autrui, on dit : « *Il se pare des plumes du paon.* »
Perroquet	Personne qui répète, qui récite sans comprendre : « *C'est un vrai perroquet.* »
Perruche	Femme bavarde qui fatigue par des propos sans intérêt : « *Faites taire ces deux perruches !* »
Pie	Personne très bavarde : « *Quelle pie, cette femme !* »
Pigeon	Homme naïf qu'on attire dans une affaire pour le dépouiller, le rouler : « *Il a été le pigeon dans l'affaire.* »
Poisson	Personnage éminent : « *C'est un gros poisson.* » « *C'est par la tête que le poisson pourrit* » : ce slogan stigmatise les intellectuels dans une société.
Porc	Homme débauché, grossier.
Porc-épic	Personne irritable : « *C'est un véritable porc-épic.* »
Poule	Personne poltronne, timorée : « *C'est une vraie poule mouillée.* » Femme de mœurs légères : « *C'est une poule de luxe.* » « *Tuer la poule aux œufs d'or* », c'est se priver de profits importants à venir pour un petit intérêt immédiat.
Poulet	Désigne familièrement un policier.
Puce	Personne de très petite taille.
Punaise	Personne méprisable, surtout en parlant d'une femme : « *Quelle punaise !* »
Rat	Personne avare, pingre : « *C'est un rat.* » « *Un rat de bibliothèque* » se dit d'une personne qui passe le plus clair de son temps le nez plongé dans les livres.
Renard	Personne fine et rusée, subtile : « *C'est un fin renard.* »

156

Homme d'un âge mûr qui possède une grande expérience des affaires, et que l'on ne peut berner :
« *C'est un vieux renard.* »
« *Faire comme le renard et les raisins* », c'est faire semblant de mépriser quelque chose que l'on ne peut pas atteindre.

Requin

Personne cupide et impitoyable en affaires :
« *C'est un requin de la finance.* »

Rosse

Personne méchante, sévère, généralement injuste :
« *Sale rosse !* »
Employé comme adjectif, le mot « *rosse* » signifie « sévère » :
« *Notre professeur d'histoire est vraiment rosse.* »

Rossignol

Livre invendu, sans valeur (qui reste perché sur les rayonnages comme le rossignol dans l'arbre) ; objet démodé, marchandise invendable :
« *C'est un vieux rossignol.* »

Sangsue

Personne qui vit, qui s'enrichit aux dépens d'autrui :
« *C'est un exploiteur, une sangsue.* »
Personne qui impose indiscrètement sa présence, dans le langage familier :
« *Je ne peux plus m'en débarrasser, c'est une véritable sangsue.* »

Sauterelle

Personne maigre et sèche :
« *Quelle grande sauterelle !* »

Serin

Niais, nigaud :
« *Mon pauvre garçon, que tu es serin !* »

Serpent

Personne perfide et méchante :
« *C'est un serpent vicieux.* »
« *Réchauffer un serpent dans son sein* », c'est prendre sous sa protection quelqu'un qui cherchera à vous nuire.

Singe

Personne laide, contrefaite :
« *C'est un vrai singe.* »
Personne qui contrefait, imite :
« *Quel singe !* »
« *Payer en monnaie de singe* », c'est payer par de belles paroles, de vaines promesses.
« *Faire le singe* », c'est faire des bêtises ou des grimaces, se comporter d'une manière idiote.

Tarentule

« *Être piqué de la tarentule* », c'est être fou.

Taupe

Vieille femme désagréable :
« *Quelle vieille taupe !* »
Espion infiltré dans le milieu qu'il observe.

Teigne	Femme méchante, hargneuse : « *C'est une vraie teigne !* »
Tigresse	Femme agressive, très jalouse : « *Sa femme est une vraie tigresse.* » On dit aussi d'un homme qu'il est « *jaloux comme un tigre* ».
Tortue	Personne très lente : « *C'est une vraie tortue.* »
Vache	Femme trop grosse : « *Quelle grosse vache !* » Agent de police, gendarme : « *Mort aux vaches !* » Personne méchante, intraitable, qui se venge ou punit sans pitié : « *Cette vache de propriétaire.* » « *Une vache à lait* » est une personne qu'on exploite, qui est une source de profit pour une autre. « *Une peau de vache* », c'est une personne méchante. « *Manger de la vache enragée* », c'est souffrir de dures privations.
Vautour	Personnage dur et rapace.
Veau	Nigaud, paresseux, mou : « *Regarde-moi ce grand veau.* » « *Faire le veau* », c'est être dans une attitude avachie.
Ver	Personne faible, méprisable : « *Petit ver de terre que vous êtes !* »
Vermine	Désigne familièrement une personne méprisable, dangereuse, un vaurien : « *Ne vous fiez pas à lui, c'est une vermine.* »
Vipère	Personne malfaisante, dangereuse : « *Sale petite vipère !* » « *Avoir une langue de vipère* », c'est être particulièrement médisant.
Zèbre	Individu bizarre : « *C'est un drôle de zèbre.* »

L ES SYNONYMES

> « S'il y avait des synonymes parfaits,
> il y aurait deux langues dans une même langue. »
> (César CHESNEAU, Sieur du Marsais)

On appelle synonymes deux mots de même sens ou de sens proche.
Le mot « synonyme » vient du grec *sun* signifiant « avec, ensemble » et de
onoma signifiant « nom » ou « mot ».

■ **Le sens général d'une phrase reste le même lorsqu'on remplace un ou plusieurs mots par un synonyme.**
Les synonymes sont, en principe, interchangeables :
J'ai reçu un très joli cadeau.
J'ai reçu un très beau présent.

Attention !
Avant de remplacer un mot par un synonyme, il faut analyser le contexte :
un vieux buffet, une vieille personne
L'adjectif *vieux* a pour synonymes *ancien, âgé*, mais s'il est convenable de
parler d'un *buffet ancien* ou d'une *personne âgée*, l'inverse est impossible :
*une personne ancienne, * un buffet âgé

■ **Le synonyme appartient à la même catégorie grammaticale que le mot qu'il remplace.**

▬ Un nom a pour synonyme un autre nom :
mot : *appellation, dénomination, expression, particule, terme, verbe...*

▬ Un adjectif a pour synonyme un autre adjectif :
joufflu : *bouffi, gonflé, poupard, poupin, rebondi...*

▬ Un verbe a pour synonyme un autre verbe :
manger : *absorber, s'alimenter, avaler, consommer, ingérer, se nourrir, prendre, se refaire, se restaurer, se sustenter...*

Attention !
Il ne suffit pas que deux mots fassent référence à la même chose, à la même personne (aient le même référent), pour être synonymes.
Une mère parlant de son enfant peut dire : « mon fils », « mon gamin ».
Les mots *fils* et *gamin* désignent la même personne, mais ils ne sont pas pour
autant synonymes.

Le synonyme est presque toujours un synonyme « approximatif »

Rares sont les synonymes qui présentent exactement le même sens comme :
tourne-disque / électrophone ; déodorant / désodorant

Lorsque deux mots ont exactement le même sens, l'un des deux finit par disparaître, se spécialise dans un registre donné ou change de sens.

Nul, synonyme exact de *aucun*, est plutôt employé dans un registre de langue soutenu ou littéraire :

Je n'ai aucune envie de le rencontrer.

Je n'ai nulle envie de le rencontrer.

La plupart du temps, d'un mot à l'autre, le sens varie légèrement, c'est pourquoi on parle aussi de « synonymes approximatifs » ou « quasi-synonymes ».

■ **Par rapport au mot d'origine, le synonyme peut varier :**

▬ **en précision.**

Prenons le mot *habitation* et quelques-uns de ses synonymes comme :
appartement, chambre, demeure, domicile, maison, chalet, manoir...

Les mots *appartement, maison, chalet* apportent des précisions sur le type d'habitat et sa localisation que le terme générique d'*habitation* ne fournissait pas :

→ *l'appartement* se situe dans un immeuble collectif, généralement en ville ;

→ *la maison*, individuelle, se situera plutôt à la campagne ou en banlieue ;

→ *le chalet* se trouve à la montagne.

▬ **en intensité.**

Prenons le mot *colère* et quelques-uns de ses synonymes comme :
agitation, agressivité, courroux, dépit, emportement, fureur, furie, impatience, irritation, rage, surexcitation, violence...

On constate immédiatement qu'il y a une différence de degré entre le dépit, l'impatience, l'irritation et la fureur, la rage, la violence.

▬ **en « affectivité ».**

Le synonyme peut présenter un sens plus favorable (**mélioratif**, laudatif) ou au contraire moins favorable (**péjoratif**, dépréciatif) que le mot qu'il remplace.

Prenons le mot *homme* qu'on peut remplacer par :

– un synonyme de sens favorable : *monsieur, personnage, tête...*

– un synonyme de sens dépréciatif : *bonhomme, luron, quidam...*

▬ **en fonction du registre de langue.**

Le même mot *homme* présentera des synonymes différents selon qu'on se situe dans un registre de langue soutenu, spécialisé, ou dans un registre de langue familier, voire argotique :

anthropoïde, hominien, homo sapiens, humain...

bougre, coco, gaillard, gazier, lascar, mec, pierrot...

Tous ces mots désignent l'homme !
De même, le commun des mortels parle de « mort », le poète de « trépas » ; un adulte dit « mon père », un enfant, « mon papa ».

Un même mot peut avoir, selon son sens, des synonymes différents

Prenons le mot *caractère.*

Lorsqu'il signifie « signe gravé ou écrit », il peut être remplacé par les synonymes suivants :
chiffre, écrit, graphie, inscription, lettre, signe...
Lorsqu'il désigne l'ensemble des manières habituelles de sentir et de réagir d'un individu, il a pour synonymes :
individualité, personnalité, tempérament...

Il faut donc être très attentif, lorsqu'on consulte un dictionnaire de synonymes, à bien distinguer les différents sens du mot concerné.

Savoir utiliser les synonymes

■ **Le recours aux dictionnaires.**

▬ Les dictionnaires généraux proposent les principaux synonymes, annexés au sens du mot traité.

▬ Il existe bien entendu des dictionnaires de synonymes.

La pratique des mots croisés, en grande partie fondée sur l'usage des synonymes, est un excellent exercice.

■ **Le style.**

Point trop n'en faut. Les écrivains du xvie siècle ont usé et parfois abusé de l'emploi des synonymes. Il n'en reste pas moins qu'un usage pertinent des synonymes permet d'enrichir l'expression.

▬ L'emploi des synonymes permet d'éviter des répétitions lourdes, notamment la répétition de mots d'usage fréquent comme *avoir, donner, faire...* et d'affiner un propos en privilégiant systématiquement l'emploi du mot juste (➡ page 163).
*avoir gain de cause / obtenir gain de cause
avoir des avantages / jouir d'avantages
avoir mal au dos / souffrir du dos...*

■ Les synonymes mettent en évidence les richesses de notre langue :
« Je m'en vais vous mander la chose la plus étonnante, la plus surprenante, la plus merveilleuse, la plus miraculeuse, la plus triomphante, la plus étourdissante, la plus inouïe, la plus singulière, la plus extraordinaire, la plus incroyable, la plus imprévue, la plus grande, la plus petite, la plus rare, la plus commune, la plus éclatante, la plus secrète jusqu'aujourd'hui, la plus brillante, la plus digne d'envie : enfin une chose dont on ne trouve qu'un exemple dans les siècles passés [...] »

Madame de SÉVIGNÉ, Lettre 19.

Le synonyme peut être remplacé par une périphrase

Il arrive que certains mots faisant référence à une notion, à des êtres ou à des choses, uniques ou particuliers, n'offrent pas de synonymes.
On aura recours dans ce cas à une **périphrase** :
   Paris → la Ville lumière
   la Bible → les Saintes Écritures
   Le pétrole → l'or noir...

(Concernant les périphrases, ➡ « D'autres mots pour le dire » page 224.)

UTILISER LES SYNONYMES
POUR ÉVITER LES RÉPÉTITIONS

AVOIR

Avoir une excellente santé	→ jouir d'une excellente santé
Avoir mal au dos	→ souffrir du dos
Avoir une impression	→ éprouver, ressentir une impression
Avoir peur que	→ craindre que
Avoir de la haine	→ nourrir de la haine
Avoir gain de cause	→ obtenir gain de cause
Avoir toutes les qualités requises	→ être doté de toutes les qualités
Avoir des difficultés	→ rencontrer, éprouver, être en but à des difficultés
Avoir le prix d'excellence	→ recevoir le prix d'excellence
Avoir une médaille d'or	→ remporter une médaille d'or
Avoir des avantages	→ jouir d'avantages
Avoir du courage	→ se montrer courageux
Avoir de la reconnaissance	→ témoigner de la reconnaissance
Avoir une maison de campagne	→ posséder une maison de campagne
Avoir une robe à pois	→ être vêtue de, porter une robe à pois
Avoir un loyer élevé	→ payer un loyer élevé
Avoir une dette envers quelqu'un	→ être redevable envers quelqu'un

DONNER

Donner sa place à quelqu'un	→ céder sa place à quelqu'un
Donner une indemnité à quelqu'un	→ allouer une indemnité à quelqu'un
Donner dix ans de sa vie à	→ consacrer, employer, vouer dix ans de sa vie à
Donner un rendez-vous	→ fixer un rendez-vous
Donner une augmentation	→ accorder une augmentation
Donner un traitement	→ prescrire un traitement
Donner la Palme d'or	→ décerner la Palme d'or
Donner une récompense	→ attribuer une récompense
Donner un chèque	→ remettre un chèque
Donner une preuve	→ fournir, produire, avancer, apporter une preuve
Donner de l'importance à	→ attacher de l'importance à
Donner des informations	→ communiquer, fournir des informations
Donner une mission	→ confier une mission
Donner son point de vue	→ exposer son point de vue
Donner sa fortune	→ léguer sa fortune
Donner une correction à quelqu'un	→ administrer une correction à quelqu'un
Donner des arrhes	→ verser des arrhes
Donner des conseils	→ prodiguer des conseils
Donner un prétexte	→ fournir, invoquer un prétexte
Donner les cartes	→ distribuer les cartes

Donner du temps, un répit	→	laisser, accorder, concéder du temps, du répit
Donner l'assaut	→	livrer l'assaut
Donner des fruits, des fleurs	→	produire des fruits, des fleurs
Donner un diplôme	→	délivrer un diplôme

 FAIRE

Faire un travail	→	effectuer, exécuter un travail
Faire un devoir	→	rédiger un devoir
Faire son devoir	→	s'acquitter de, accomplir son devoir
Faire une erreur	→	commettre une erreur
Faire des progrès	→	progresser
Faire médecine, droit	→	préparer médecine, droit
Faire une transition	→	ménager une transition
Faire un procès	→	intenter un procès
Faire un accord	→	passer, conclure un accord
Faire une liste	→	dresser, établir une liste
Faire un règlement	→	établir, instaurer, élaborer un règlement
Faire pitié	→	susciter la pitié
Faire un demi-tour	→	opérer un demi-tour
Se faire à quelque chose	→	s'habituer, s'accoutumer à quelque chose
Faire l'innocent	→	jouer les innocents
Faire quelque chose pour quelqu'un	→	aider quelqu'un
Faire un poème, une symphonie	→	écrire un poème, composer une symphonie
Faire une robe, un costume	→	confectionner une robe, un costume
Faire un pull-over	→	tricoter un pull-over
Faire une maison	→	construire une maison
Faire 20 litres	→	contenir 20 litres
Faire 1m 80	→	mesurer 1m 80
Faire 80 kg	→	peser 80 kg
Faire du 40	→	chausser du 40
Faire un feu	→	allumer un feu
Faire plus vieux que son âge	→	paraître plus vieux que son âge
Faire des photos	→	prendre des photos
Faire un film	→	tourner un film
Faire des bénéfices	→	réaliser des bénéfices
Faire un sport	→	pratiquer un sport
Faire des dégâts	→	occasionner, provoquer des dégâts

SYNONYMES OU PAS ?

Il n'existe pas de synonymes parfaits.
Deux mots, même synonymes, n'ont jamais exactement le même sens.
Il existe toujours une nuance de sens ou d'emploi comme dans les mots suivants :

Acompte, arrhes	« Verser un acompte » ne revient pas à « verser des arrhes ». Un acompte est un premier versement pour une commande ferme : vous n'avez donc pas le droit d'annuler votre commande. Si vous changiez d'avis, non seulement on ne vous rembourserait pas l'acompte versé, mais on serait en droit de vous forcer à accepter la commande. Dans le cas où vous versez des arrhes, vous êtes libre de changer d'avis et d'annuler votre commande. Les arrhes ne vous seront bien sûr pas remboursées.
Adversaire, ennemi	*« Aux échecs, il ne faut jamais sous-estimer l'adversaire. »* *« Pendant plusieurs siècles, l'Angleterre fut l'ennemie de la France. »* « L'adversaire », c'est celui à qui on est opposé dans un combat, une compétition ou un procès. « L'ennemi » est animé par la haine ; il cherche à faire du mal, à nuire ou à détruire.
Alternative, dilemme	*« L'alternative est la suivante : soit vous payez en trois mois, et vous bénéficiez alors d'un crédit gratuit, soit vous payez en douze mois avec un taux d'intérêt de 18 %. »* *« Dois-je lui dire la vérité et lui faire de la peine, ou dois-je lui cacher la situation au risque de perdre sa confiance, s'il l'apprend ? C'est un cruel dilemme. »* Une « alternative » est l'option qui s'offre de choisir entre deux possibilités qui mènent à des aboutissements différents. Être placé devant un « dilemme », c'est être en position de devoir choisir entre deux propositions contraires ou contradictoires, comportant l'une et l'autre des inconvénients.
Amener, apporter	*« Apporte-moi mes lunettes. »* *« Amenez-moi deux stères de bois avant l'hiver. »* Dans un cas, on mène un objet à quelqu'un en le portant ou en le tenant (= *apporter*). Dans le second cas, on l'espère pour lui, le livreur utilisera une remorque (= *amener*).
Avare, économe	*« Il est très avare : lorsqu'il va au restaurant avec des amis, il prétend à chaque fois qu'il a oublié son chéquier, pour éviter de payer sa part de l'addition. »* *« C'est une femme généreuse, quoique économe. »* On reconnaît un avare à ce qu'il a de l'argent mais refuse de le dépenser, même utilement. Quelqu'un d'économe gère son budget avec sagesse et dépense son argent avec modération.

Bafouiller, bredouiller	« *Très intimidé, le petit garçon bredouilla des excuses.* » « Bredouiller », c'est parler très vite et peu distinctement. « Bafouiller », c'est parler d'une façon confuse, embarrassée et incohérente parce qu'on est sous le coup de l'émotion, ou tout simplement parce qu'on n'a pas les idées claires.
Baser, fonder	« *Sur quoi vous fondez-vous ?* » (et non « *Sur quoi vous basez-vous ?* ») Il faut de préférence réserver l'emploi du verbe *baser* au domaine stratégique : « *Des avions sont basés en Europe.* »
Bénéficier, profiter	« *Cette mesure profitera aux familles de trois enfants et plus.* » (et non « *bénéficiera aux familles de trois enfants* ») En effet, le verbe « bénéficier » ne se construit pas avec la préposition « à ». Il est donc incorrect de dire « bénéficier à ». On préférera « profiter à, avantager »...
Collègue, confrère	« *La salle des professeurs est un endroit où les collègues aiment à se retrouver.* » *Collègue* et *confrère* désignent des personnes qui exercent la même activité professionnelle. Le mot « collègue » s'applique à celles qui travaillent dans la fonction publique, les fonctionnaires. Le mot « confrère » s'emploie à propos de personnes exerçant une profession libérale (médecins, avocats, etc.).
Compliqué, complexe	« *Pourrais-tu m'aider ? J'ai un exercice très compliqué à faire pour demain et je n'y comprends rien.* » « *En grammaire, il faut distinguer la phrase complexe, constituée de plusieurs propositions, de la phrase simple, constituée d'une seule proposition.* » On dit d'une chose qu'elle est « compliquée » lorsqu'elle est difficile à comprendre. Un homme compliqué est quelqu'un qui n'aime pas la simplicité, qui recherche volontiers la difficulté : « *Il a l'art de rendre compliqué ce qui est simple.* » On dit d'une chose qu'elle est « complexe » lorsqu'elle est constituée d'éléments différents, hétérogènes, ce qui peut alors la rendre difficile à saisir : un homme complexe est un personnage dont le caractère présente des aspects très différents : « *Il n'est pas facile à cerner, c'est un homme très complexe.* »
Déchiffrer, décrypter	« *Après avoir intercepté le code employé par l'ennemi, ils parvinrent enfin à déchiffrer le message.* » « *Si vous n'avez pas le code, il faudra faire appel à un spécialiste pour décrypter ce message.* » « Déchiffrer », c'est interpréter au moyen d'un code, un message écrit en caractères secrets. Par extension, c'est lire et comprendre ce qui est mal écrit.

« Décrypter » un message est plus difficile puisque cela consiste à interpréter et traduire ce message, alors qu'on ignore tout du code secret dans lequel il a été écrit.

Découverte, invention

« *Nous devons la découverte de l'Amérique à Christophe Colomb.* »
« *Nous devons l'invention de la machine à vapeur à Denis Papin.* »
Faire une « découverte », c'est trouver une chose qui était ignorée ou cachée, mais qui existait déjà.
Une « invention » est un pur produit de l'imagination ; c'est le fait de concevoir, de créer quelque chose qui n'existait pas.

Durable, permanent

« *Ce modèle est un peu plus cher, mais je vous garantis que vous faites un achat durable.* »
« *Depuis qu'il a pris la direction de l'établissement, il règne une tension permanente parmi ses collaborateurs.* »
Est « durable » ce qui dure longtemps.
Est « permanent » ce qui dure sans interruption ni changement pendant un temps plus ou moins long.

Grâce à, à cause de

« *C'est de ta faute, c'est à cause de toi que nous sommes en retard !* » (et non pas « *grâce à toi* »)
« *C'est grâce à toi si j'ai réussi.* »
La locution « grâce à » s'emploie uniquement dans un contexte favorable, avec l'idée de remerciement, de service rendu.

Héréditaire, congénital

« *Il souffre d'une insuffisance cardiaque, tout comme son frère : c'est héréditaire dans la famille.* »
« *Les progrès de la médecine permettent de mieux détecter les malformations congénitales.* »
Est « héréditaire » ce qui se transmet des parents aux descendants.
Est « congénital » ce qui est présent à la naissance et qui s'est développé durant la vie intra-utérine.

Hérédité, atavisme

« *Il a une lourde hérédité ; tous ses ancêtres sont morts fous.* »
« *L'atavisme est un cas particulier de l'hérédité.* »
« L'hérédité » désigne la transmission des caractères d'un être vivant à ses descendants par l'intermédiaire de gènes, que l'on retrouve à chaque génération.
« L'atavisme », c'est le fait de voir réapparaître, chez un individu, un ou plusieurs caractères héréditaires qui s'étaient manifestés chez ses ancêtres, mais qui avaient disparu depuis une ou plusieurs générations ; c'est en quelque sorte une hérédité discontinue.

Identique, analogue

« *Ils portaient deux costumes en tous points identiques.* »
« *La haine est un sentiment analogue, dans son fonctionnement, à l'amour.* »

On dit de deux personnes ou de deux choses distinctes qu'elles sont « identiques » lorsqu'elles sont absolument semblables, qu'elles ne présentent aucune différence entre elles.
On dit qu'elles sont « analogues » lorsqu'elles ne présentent que des rapports partiels de similitude, souvent parce qu'elles sont totalement différentes dans leur nature.

Médire, calomnier

« Médire de ses voisins est méchant, les calomnier est injuste. »
« Médire de quelqu'un », c'est dire le mal qu'on sait ou qu'on croit savoir sur son compte. La médisance, même si elle est méchante, est donc fondée.
« Calomnier quelqu'un », c'est se livrer à des accusations mensongères qui attaquent sa réputation.

Neuf, nouveau

« Je vois que vous avez une nouvelle voiture ; vous l'avez achetée neuve ou d'occasion ? »
Un objet « neuf » est un objet qui n'a jamais servi, qui n'a pas été utilisé.
Un objet « nouveau » est un objet qui apparaît pour la première fois ou qui est apparu depuis peu.

Passant, passager

« C'est une rue très passante. »
« Ne t'inquiète pas, c'est une averse passagère. »
On dit d'un endroit où il passe beaucoup de gens qu'il est « passant ».
Est « passager » quelque chose qui est de brève durée, quelque chose de momentané ou de provisoire.
De même, un « passager » est un voyageur transporté à bord d'une voiture, d'un avion, d'un train ou d'un navire, alors que le « passant » passe dans une rue ou dans un lieu.

Possible, probable

« Qu'il soit l'auteur de ce méfait est une chose possible, mais je n'y crois pas beaucoup. »
« Après son acte héroïque de sauvetage, il est probable qu'on va lui remettre une médaille. »
On dit d'une chose qu'elle est « possible » lorsqu'elle peut se produire ou qu'elle est réalisable.
On dit d'une chose qu'elle est « probable » lorsqu'elle a de fortes chances de se produire dans l'avenir, lorsqu'elle est vraisemblable.

Transparent, translucide

« Ils ont installé une cloison transparente, en verre. »
« En Turquie, la mer est, par endroits, translucide. »
Est « transparent » ce qui laisse passer la lumière et paraître avec netteté les objets qui se trouvent derrière.
Ce qui est « translucide » laisse également passer la lumière, mais ne permet pas de distinguer nettement les objets.

LES ANTONYMES

« Rien n'est si dangereux qu'un ignorant ami ; Mieux vaudrait un sage ennemi. »
(Jean de La Fontaine, *Fables*)

On appelle antonymes deux mots de sens contraire :
gentil / méchant; beau / laid ; faire / défaire...
Le mot « antonyme » vient du grec *ant(i)* signifiant « en face de, contre » et
de *onoma* signifiant « nom » ou « mot ».

■ **Le sens général d'une phrase change du tout au tout lorsqu'on remplace un
ou plusieurs mots par un antonyme :**
C'est un gentil garçon. / C'est un méchant garçon.
Elle travaille beaucoup. / Elle travaille peu.

Attention !
Avant de remplacer un mot par un antonyme, il faut analyser le contexte :
un vieux buffet, une vieille personne
L'adjectif *vieux* a pour antonymes *nouveau, neuf, jeune*, mais s'il est convenable
de parler d'un *buffet neuf* ou d'une *personne jeune*, l'inverse est impossible :
*une personne neuve, *un jeune buffet

■ **L'antonyme appartient à la même catégorie grammaticale que le mot qu'il
remplace.**

▬ Un nom a pour antonyme un autre nom :
beauté / laideur ; gentillesse / méchanceté...

▬ Un adjectif a pour antonyme un autre adjectif :
riche / pauvre ; grand / petit...

▬ Un verbe a pour antonyme un autre verbe :
croître / décroître ; monter / descendre...

Un même mot peut avoir, selon son sens, des antonymes différents

■ Lorsqu'un mot est monosémique, c'est-à-dire lorsqu'il n'a qu'un seul sens
(*cf.* « Monosémie, polysémie », page 126), et qu'il a pour contraire un autre mot
lui aussi monosémique, on parle d'**antonymie absolue** :
avant / après ; devant / derrière...

■ La plupart des mots sont polysémiques, c'est-à-dire qu'ils peuvent avoir plusieurs
sens. Dans ce cas, un même mot aura, selon son sens, des antonymes différents.
On parle alors d'**antonymie partielle**. C'est le cas le plus fréquent.

Prenons le nom *défense* :

■ Lorsqu'il fait référence à une stratégie dans le domaine de la guerre, des échecs ou du football, il peut être remplacé par l'antonyme *attaque*.
Ils ont joué en défense pendant tout le match.
L'équipe adverse a joué en attaque tout au long du match.

■ Lorsqu'il désigne une interdiction, il a pour antonymes *autorisation, permission*...
Défense de fumer.
Vous avez l'autorisation de fumer dans la salle de réunion.

Les antonymes sont formés de différentes façons

■ **L'opposition de sens se fait entre :**

■ **deux mots de racine différente.**
monter / descendre ; jeune / vieux ; chaud froid...

■ **deux mots de même racine avec des suffixes de sens opposé.**
anglophile (qui a de la sympathie pour les Anglais) /
anglophobe (qui déteste les Anglais)
centripète (qui converge vers le centre) /
centrifuge (qui s'éloigne du centre)

■ **deux mots de même racine avec des préfixes de sens opposé.**
Les principaux préfixes permettant de former des antonymes sont :
in- / il- / im- / ir-, placés devant un nom ou un adjectif.
capable / incapable ; lettré / illettré ; prudence / imprudence ; réel / irréel...
mal- / mé-, dis-, a- / an-, placés devant un adjectif ou un nom.
aimé / mal-aimé ; entente / mésentente ; courtois / discourtois ;
normal / anormal...
dé- / dés-, mé- / més-, placés devant un verbe.
faire / défaire ; s'intéresser / se désintéresser ; connaître / méconnaître ;
estimer / mésestimer...

■ **Les préfixes expriment parfois plus qu'une simple négation pour marquer :**

■ **une opposition de degré.**
→ *hypo / hyper ; sous / sur ; micro / macro :*
hypocalorique (qui comporte peu de calories) /
hypercalorique (qui comporte beaucoup de calories)
sous-estimer / surestimer
microcosme (petit univers = le corps humain) /
macrocosme (grand univers = l'univers)

■ **une opposition de nombre.**

→ *mono / poly ; uni / omni ; uni / bi :*
monogame / polygame
unidirectionnel (qui se propage, qui reçoit dans une seule direction) /
omnidirectionnel (qui émet ou reçoit dans toutes les directions)
unilatéral (disposé d'un seul côté) / *bilatéral* (qui a deux côtés)

■ **une opposition dans l'espace.**

→ *exo / endo ; extro, extra / intra, intro ; ex / in, im ; infra / supra, super :*
exogène (qui provient de l'extérieur) /
endogène (qui prend naissance à l'intérieur)
extraverti (qui est tourné vers le monde extérieur) /
introverti (qui est tourné vers soi, vers l'intérieur)
exporter / importer
infrastructure (parties inférieures d'une construction = fondations) /
superstructure (partie d'une construction située au-dessus du sol)

■ **une opposition dans le temps.**

→ *néo / paléo ; anti / post ; avant / après ; pro / rétro :*
néolithique (période la plus récente de l'âge de pierre) /
paléolithique (période la plus ancienne de l'âge de pierre)
antidater / postdater
avant-guerre / après-guerre
prospective (recherches concernant l'évolution future de l'humanité) /
rétrospective (présentation d'une évolution depuis les débuts = du passé
jusqu'à nos jours)

L'antonyme nié peut servir à atténuer un propos

Il arrive qu'on veuille, pour des raisons diverses et notamment par souci d'atté-
nuation, éviter l'emploi d'un mot au profit de son contraire utilisé à la forme
négative :
Aimer a pour antonymes *haïr, détester.*
Au lieu de dire *aimer,* on dira *ne pas détester, ne pas haïr :* c'est le principe
même de la litote (cf. « La litote », page 207).
L'exemple le plus célèbre est constitué par l'aveu retenu que fait Chimène à
Rodrigue, dans *Le Cid* de Corneille :
Va, je ne te hais point.
Une façon plus convenable de dire « *je t'aime* » à l'assassin de son père !

171

L ES HOMONYMES

« Saur : variété de hareng qu'on jette à quelqu'un. »
(Raoul LAMBERT, *Le Dicodingue*)

On appelle homonymes deux mots qui s'écrivent ou se prononcent de la même façon, mais dont le sens est différent, ce qui peut prêter à confusion :
moule (mollusque) / *moule* (récipient pour faire les gâteaux)
verre (récipient servant à boire) / *vers* (élément d'un poème) / *vert* (couleur)

Le mot « homonyme » vient du grec *homos* signifiant « semblable » et de *onoma* signifiant « mot ».

■ **Bien qu'ils soient écrits ou prononcés de la même façon, les homonymes se différencient toujours par le sens :**
moule / moule
mer / mère / maire...

■ **Ils peuvent appartenir à la même catégorie grammaticale ou à des catégories grammaticales différentes :**
Dupont (nom propre) / *Dupond* (nom propre)
Grèce (nom propre) / *graisse* (nom commun)
verre (nom) / *vers* (préposition) / *vert* (adjectif)

■ **Selon les mots, on peut également différencier les homonymes par :**

▬ **le genre**
la moule / le moule
la mousse / le mousse
la mère / le maire

▬ **l'étymologie**
Nous allons louer un appartement. (du latin *locare*)
On ne peut que le louer de sa conduite. (du latin *laudare*)

▬ **la construction syntaxique**
Il s'est tourné vers ses parents et ses amis. (préposition obligatoirement suivie d'un mot ou d'un groupe de mots complément)
Les Académiciens portent l'habit vert. (adjectif qualificatif épithète)

▬ **le contexte**
Elle est mère de cinq enfants.
Elle est maire de sa ville.

Les différentes sortes d'homonymes

■ **On distingue trois sortes d'homonymes,** que l'on peut représenter comme suit :

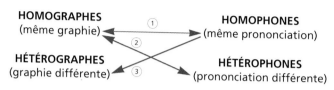

HOMOGRAPHES
(même graphie)

HOMOPHONES
(même prononciation)

HÉTÉROGRAPHES
(graphie différente)

HÉTÉROPHONES
(prononciation différente)

①**Lorsque deux homonymes s'écrivent et se prononcent de la même façon, on dit qu'ils sont homographes** (du grec *homos,* « semblable », et *graphein,* « écrire ») **et homophones** (du grec *homos* et *phônê,* « voix »).
moule (mollusque) / *moule* (récipient)
être (nom) / *être* (verbe)
boucher (profession) / *boucher* (verbe)

②**Lorsque deux homonymes s'écrivent de la même façon, mais se prononcent différemment, on dit qu'ils sont homographes** (du grec *homos,* « semblable », et *graphein,* « écrire ») **et hétérophones** (du grec *heteros,* « autre », et *phônê,* « voix ») :
fils (enfants) / *fils* (à coudre)
mentions (du verbe mentir) / *mentions* (obtenir une mention au baccalauréat)
couvent (du verbe couver) / *couvent* (lieu de retraite)

③**Lorsque deux homonymes se prononcent de la même façon, mais s'écrivent différemment, on dit qu'ils sont homophones et hétérographes.**
Ce sont ceux que l'on désigne le plus couramment sous le terme d'homonymes.
ver / *verre* / *vers* / *vert* / *vair*

Homonymie et polysémie

Il ne faut pas confondre l'homonymie et la polysémie.

On ne peut pas dire qu'un mot polysémique, qui présente plusieurs sens, est constitué d'autant d'homonymes.
Tous les sens nouveaux qu'acquiert un même mot au fil du temps n'ont rien à voir avec l'homonymie.
Pour parler d'homonymie, il faut qu'il n'y ait aucun rapport de sens entre les deux mots considérés.

Prenons l'adjectif *tendre* :
Il désigne à la fois «quelque chose qui n'est pas dur» et «quelqu'un porté à la sensibilité».
Il ne s'agit pas ici de deux homonymes, mais du même mot, employé au sens propre et au sens figuré.
En revanche, le verbe *tendre* signifiant «tirer sur une chose souple en la rendant droite» est homonyme de l'adjectif *tendre*.
Il n'y a aucun rapport de sens entre eux.

Utiliser les homonymes pour jouer avec les mots

C'est en jouant de l'ambiguïté des homonymes que l'on crée les calembours.
En voici deux, empruntés à des hommes célèbres :
  *Dis-moi qui tu fréquentes et je te dirai qui tu **hais**. [es]* (Victor HUGO)
  *Je ne suis ni **clément**, ni **sot**.* (CLEMENCEAU)

(Pour plus de précisions, *cf.* «Le calembour» page 232.)

COMPRENDRE LE SENS, ÉCRIRE LE MOT JUSTE

A

Conclure un **accord** / un serviteur **accort**
Une **acre** de terrain / une odeur **âcre**
Aïe ! ça fait très mal / une gousse d'**ail**
Le pli de l'**aine** / la **haine** de l'ennemi
Prendre l'**air** / une **aire** de jeux / l'**aire** d'un triangle / l'**ère** quaternaire / un pauvre **hère**
L'**alène** (poinçon) du cordonnier / avoir mauvaise **haleine**
L'**allaitement** maternel / le **halètement** d'un asthmatique
Aller à l'école / **haler** un bateau / **hâler** (bronzer)
Une crème aux **amandes** / payer une **amende**
Dire **amen** / une réponse **amène** (douce)
Le sphincter **anal** / les **annales** du baccalauréat
L'**anche** de la clarinette / une fracture de la **hanche**
Lever l'**ancre** / écrire à l'**encre** noire
Les **appas** d'une femme / un **appât** pour la pêche
L'**archer** et son arc / l'**archet** du violoniste
Un terrain de dix **ares** / l'amour de l'**art** / verser des **arrhes**
Sous d'heureux **auspices** / l'**hospice** des vieux
L'**autel** d'une église / l'**hôtel** de ville

B

Jouer au **baccara** / des verres en **baccarat**
Un cheval **bai** / une **baie** vitrée / rester bouche **bée** / le **bey** d'Alger
Bâiller d'ennui / vous me la **baillez** belle / **bayer** aux corneilles
Partir en **balade** / réciter une **ballade**
Publier les **bans** / s'asseoir sur un **banc** / un **banc** de sardines
Un homme **barbu** / les arêtes d'une **barbue**
Une **barre** de chocolat / les arêtes d'un **bar** / un **bar**-tabac
Une soupe au **basilic** / la **basilique** Saint-Pierre
Un **beau** tableau / un pied-**bot** / un **bail**, des **baux**
Bon (gentil) / un **bon** d'achat / **bond** (saut)
La **bonace** de la mer (calme plat) / un air **bonasse**
Patauger dans la **boue** / le **bout** du tunnel
L'écorce de **bouleau** / un petit garçon **boulot** (rondouillard) / un bon **boulot**
Le **box** des accusés / un combat de **boxe**
Du pétrole **brut** / une **brute** épaisse
Marquer un **but** / une **butte** de terre
Buter sur une pierre / **butter** le pied des rosiers / une **butée** de porte

C

Les **cahots** d'un véhicule / c'est le **chaos** (grand désordre) / un boxeur **K.O.**
Les **canaux** d'Amsterdam / un **canot** pneumatique

La **canne** de l'aveugle / la **cane** de la basse-cour
Le **cap** Horn / une **cape** en laine
Le **capital** et ses intérêts / la **capitale** de la France
Le **céleri** rémoulade / la **sellerie** d'une écurie
Nul n'est **censé** ignorer la loi / un raisonnement **sensé**
Un **cep** de vigne / le **cep** de la charrue / une omelette aux **cèpes**
Le **cerf** des forêts / une culture sous **serre** / les **serres** de l'aigle / le **serf** du Moyen Âge
Une **cession** de parts / une **session** d'examen
Le **chah** (ou schah) d'Iran / le **chas** d'une aiguille / le **chat** de gouttière
Une **chaîne** de montagnes / les racines d'un **chêne**
La **chair** et les os / la **chaire** d'un professeur / faire bonne **chère** / **chère** amie
Un **champ** de blé / le **chant** du rossignol
Le **chaud** et le froid / le blanc de **chaux**
Une odeur de **chlore** / **clore** un débat
Le **chœur** de l'opéra /avoir mal au **cœur**
La **cire** d'abeilles / un triste **sire**
Un **clair** de lune / des huîtres fines de **claire** / un **clerc** de notaire
La **clause** d'un contrat / une porte **close**
Un petit **coin** / la gelée de **coings**
Franchir un **col** / de la **colle** à bois / du **khôl** pour les yeux
Un **colon** d'Afrique / le gros **côlon**
Faire les **comptes** / le **comte** et la comtesse / un **conte** pour enfants
Le chant du **coq** / un œuf à la **coque** / le **coke** métallurgique
Un épiderme **corné** / la **cornée** de l'œil / un **cornet** à piston
La **cote** d'alerte / monter une **côte** / une **cotte** de maille / payer sa **quote**-part
Un peintre bien **coté** / le **côté** d'un carré
Un **coup** de téléphone / la tête et le **cou** / le **coût** d'une installation
Un **couplé** gagnant / le **couplet** d'une chanson
Le **cours** d'une rivière, d'un professeur, d'une monnaie / la **cour** d'une école / faire la **cour** /
   la chasse à **courre** / couper **court** / un **court** de tennis
Un **cric** hydraulique / une **crique** isolée
Un aliment **cru** / un vin de **cru** / la **crue** d'une rivière
Un **cuisseau** de veau / un **cuissot** de gros gibier
Le chant du **cygne** / un **signe** particulier

D

Un **dais** de lit / un **dé** à jouer / un **dé** à coudre
Une **danse** folklorique / une population **dense**
La **date** de naissance / manger des **dattes**
Une tenue **décente** / une **descente** à ski
Un mur **décrépi** / un vieillard **décrépit**
Dégoûter (inspirer de la répugnance) / **dégoutter** (couler goutte à goutte)
Délacer ses chaussures / se **délasser** l'esprit
Desceller une grille / **desseller** un cheval
Avoir un **dessein** (projet) / faire un **dessin** (illustration)
Détoner (exploser) / **détonner** (contraster dans un ensemble)
Avoir un **différend** entre voisins / un avis **différent**

E

La réponse de l'**écho** / payer son **écot**
Empreint (marqué) / **emprunt** (demander un prêt)
Enter un arbre / **hanter** une maison
Un pichet en **étain** / un regard **éteint**
Un jugement **éthique** (moral) / un vieux cheval **étique** (très maigre)
Un **être** humain / le tronc d'un **hêtre**
Exaucer un vœu / **exhausser** un mur
Une lettre **exprès** / un train **express** (train rapide) / un (café) **express**

 F

Un **fait** divers / **ployer** sous le **faix** / la **fée** Carabosse
Le **faîte** du toit / la **fête** des mères
Le **fard** à joues / le **far** breton / les **phares** d'une voiture
Une voix de **fausset** / tomber dans le **fossé** / **fausser** un résultat
Le réseau **ferré** / des **ferrets** de diamants
Du **fil** à coudre / le **fil** du rasoir / une **file** d'attente
Un **filtre** à café / un **philtre** d'amour
La **fin** du film / une **faim** de loup
Un peintre **flamand** / un **flamant** rose
Un **flan** aux œufs / se coucher sur le **flanc**
Le **foc** d'un voilier / la fourrure de **phoque**
Avoir la **foi** / du **foie** de veau / il était une **fois**
Un **fond** de bouteille / un **fonds** de commerce / les **fonts** baptismaux
Dans son **for** intérieur / un **fort** militaire / tout est perdu, **fors** l'honneur
Un **foret** (outil) / une **forêt** de sapins
Engager des **frais** / un temps **frais** / du **frai** de carpe / un avion de **fret**
La **fumée** d'un incendie / le **fumet** d'un rôti

 G

Gai comme un pinson / passer la rivière à **gué** / faire le **guet**
Se chauffer au **gaz** / couvrir une blessure avec de la **gaze**
Des plumes de **geai** / noir comme du **jais** / un **jet** d'eau
Éprouver de la **gêne** / les **gènes** et la génétique
Les fleurs de **genêt** / **jeûner** pendant le carême / un **genet** d'Espagne (cheval)
L'érosion **glaciaire** / une **glacière** pour le camping
Jouer au **golf** / le **golfe** du Morbihan
Goûter un vin / laisser **goutter** un robinet
Accorder une **grâce** / une viande **grasse**
N'avoir **guère** le temps / la **guerre** du feu

H

La ville haute / une chambre d'hôte / la hotte du Père Noël
La houe (outil de jardinage) / le houx de Noël
Un débat à huis clos / huit jours
La hune du mât / la une des journaux
Une hutte de paille / la clef d'ut

I

Une intercession (action d'intercéder) / une intersession parlementaire

J

Une jarre d'huile / le jars et l'oie
Un baiser sur la joue / un joug pour l'attelage

L

Le lac de Genève / s'enduire les cheveux de laque
Laid comme un pou / la laie et le sanglier / du lait de vache / réciter un lai (poème) /
un lé de papier peint
Lâcher du lest / avoir la main leste
La levée du courrier / le lever du soleil
Entrer en lice / une surface lisse / une fleur de lis
La lie de vin / un lit à baldaquins
Les bottes de sept lieues (mesure de distance) / des lieux publics / pêcher des lieus
La lire italienne / jouer de la lyre
La livrée d'un domestique / un livret de famille
La lutte armée / jouer du luth

M

Le mois de mai / le pain dans la maie / un mets et un entremets
Le maire du village / l'eau de mer / la mère de famille
Un maître d'école / un mètre carré
Le bien et le mal / le mâle et la femelle / la malle et la valise
La mante religieuse / une menthe à l'eau
Le marc de café / la mare aux canards / j'en ai marre
Le mari et la femme / être marri (fâché, désolé)
Un enfant martyr / souffrir le martyre
Un mas en provence / le mât d'un voilier
Mater une révolte / mâter un navire

Le **matin** et le soir / les crocs d'un **mâtin** (gros chien)
Aller à la **messe** / déjeuner au **mess** des officiers
La ligne de **mire** / l'encens et la **myrrhe**
Un gilet mangé aux **mites** / un **mythe** antique
Le **mors** du cheval / être **mort** de peur / les **Maures** et les Turcs
Écrire un **mot** / avoir des **maux** de tête
Faire la **moue** / un matelas **mou** / le **moût** du raisin
Le **mur** de Berlin / un fruit **mûr** / la confiture de **mûres**

 N

Être **nu** comme un vers / tomber des **nues**
Les adjectifs **numéraux** / tirer le bon **numéro**

 O

L'**Orient** et l'**Occident** / le chlore est un **oxydant**
Un rose **orangé** / une fleur **d'oranger**
Un tampon **d'ouate** / une consommation en **watts**
Oui ou non / avoir **ouï**-dire / les **ouïes** d'un poisson

 P

Un bulletin de **paie** / la guerre et la **paix** / un **pet** de lapin
Le **pain** du boulanger / une forêt de **pins**
Le **père** et la mère / un nombre **pair** / une **paire** de bas / les **pairs** de France / des yeux **pers**
Un **palais** royal / un **palet** de marelle
La **pale** de l'hélice / le supplice du **pal** / être **pâle** comme un linge
Un voisin de **palier** / **pallier** un manque
Un **pan** de mur / des plumes de **paon**
Panser ses blessures / **penser** à autre chose
Un **parti** politique / une **partie** de tennis
La **pâte** à tarte / marcher à quatre **pattes**
Un **pâté** de sable / la **pâtée** du chien
La **paume** de la main / la **pomme** et la poire
La **pause** café / la **pose** de la première pierre
La **peau** et les os / un **pot** de confiture
Pécher par omission / **pêcher** la truite / la **pêche** et le **pêcher** / un **péché** mignon
Se donner de la **peine** / la **penne** (plume d'oiseau) / un **pêne** de serrure
La valeur de **pi** est 3,14 / bavard comme une **pie** / aller de mal en **pis** / un **pis** de vache
Un **pic** enneigé / l'as de **pique** / la **pique** du picador
Un **pieu** pour une clôture / un **pieux** mensonge
Un **pinçon** au doigt / gai comme un **pinson**
Fixer un **piton** / un **piton** volcanique / un (serpent) **python**
Une région de **plaines** / la **pleine** lune
Porter **plainte** / la **plinthe** d'un mur

Le **plan** d'un architecte / un **plant** de rosier
Une **poêle** à frire / un **poêle** à mazout / une touffe de **poils**
Un **poids** lourd / des petits **pois** / un tissu à **pois** / encoller à la **poix**
Une **poignée** de porte / à la force du **poignet**
Un coup de **poing** / un **point** d'interrogation / le **point** de croix / une mise au **point**
Le **port** de Rouen / des frais de **port** / les **pores** de la peau / le **porc** et la truie
Avoir des **poux** / prendre le **pouls**
Le **pouce** et l'index / une jeune **pousse**
Un **pré** fleuri / un **prêt** immobilier
Les **prémices** de l'hiver / les **prémisses** d'un raisonnement logique
La **proue** d'un navire / peu ou **prou**

 Q

Une **queue** de poisson / un maître **queux**

 R

Couper à **ras** / un **rat** des champs / un **raz** de marée
Le **racket** d'un gang / une **raquette** de tennis
Un **rai** de lumière / une **raie** au milieu / les arêtes de la **raie** / do, ré, mi / prendre dans ses
    rets (filets, piège) / un **rez-de-chaussée**
Le coassement d'une **rainette** / les pépins d'une **reinette**
Raisonner avec justesse / faire **résonner** un gong
Une voix **rauque** / solide comme un **roc** / danser le **rock**
La **reine** et le roi / les **rênes** du cheval / un troupeau de **rennes**
Un **repaire** de brigands / un point de **repère**
Le **ris** de veau / le **riz** au lait
Roder un moteur / **rôder** dans les parages
Lire un **roman** / l'art **roman** / parler le **romand**
Réciter un **rondeau** (poème) / un **rondo** de Mozart
Un **rôti** de veau / une **rôtie** beurrée (tranche de pain grillé)
Une **roue** de voiture / un **roux** (pour lier la sauce) / un homme **roux**
Un homme **roué** (rusé) / la fileuse et son **rouet**
Le filet d'eau d'un **ru** / une **rue** piétonne / la **rue** (plante des prés)

 S

Être **sain** et sauf / donner le **sein** / un lieu **saint** / un acte sous **seing** privé
Être **saine** et sauve / pêcher avec une **senne** (filet de pêche) / une **scène** de théâtre /
    la **cène** du Jeudi saint
Un **sale** temps / la **salle** des fêtes
Faire une **satire** de la société / un **satyre** vicieux
Un **saule** pleureur / toucher le **sol** / la clef de **sol** / une **sole** meunière
Un hareng **saur** / jeter un **sort**
Le **saut** à la perche / un petit **sot** / un **seau** d'eau / le garde des **Sceaux**

Des **sautes** d'humeur / une petite **sotte**
Sceller un anneau dans un mur / poser les **scellés** / **seller** un cheval
Être **sceptique** / une fosse **septique**
La gorge **sèche** / un os de **seiche**
Un ciel **serein** / un **serin** en cage
Sous la foi du **serment** / un **serrement** de cœur
Signer un document / un **signet** pour marquer une page
Un **soufflé** au fromage / un **soufflet** pour la cheminée / recevoir un **soufflet** sur la joue
Les **spores** mâles et femelles / un **sport** collectif
Une **statue** de marbre / le **statut** des fonctionnaires / un **statu** quo
Un maître d'hôtel **stylé** / la lame d'un **stylet**
Un fruit **sur** (acide) / **sûr** et certain

 T

Une **tache** d'encre / une **tâche** à accomplir
Une **taie** d'oreiller / le **té** d'un dessinateur / un **têt** de laboratoire / une tasse de **thé**
Une glace sans **tain** / un **teint** mat / le **thym** et le laurier
La **tante** et l'oncle / une **tente** pour camper
Teinter un vêtement / faire **tinter** une clochette
Payer à **terme** échu / des **termes** impropres / les **thermes** d'une ville d'eau
Du **thon** à l'huile / donner le **ton**
Avoir des **tics** nerveux / du sang sucé par des **tiques**
Le **tir** à l'arc / un vol à la **tire**
Un **tirant** d'eau / un **tyran** sanguinaire
C'est du **toc** / une **toque** de fourrure
Le **tome** d'un ouvrage / la **tomme** de Savoie
Une **tribu** indienne / payer un **tribut**
Trop ou pas assez / le **trot** du cheval
Un moteur **turbo** / du **turbot** au beurre blanc

 V

Un espoir **vain** / boire du **vin** / **vingt** sur **vingt**
Une attente **vaine** / la **veine** jugulaire
Le **valet** de cœur / une **vallée** encaissée
Vanter les mérites de quelqu'un / **venter** (faire du vent)
Un bois **verni** / du **vernis** à ongles
Un **verre** d'eau / un **ver** de terre / le **vers** et la strophe / le **vert** et le bleu / des pantoufles de **vair** (fourrure)
Un homme **versé** en la matière / les **versets** de la Bible / **verser** à boire
Avoir un **vice** / serrer la **vis**
Violer la loi / un bleu-**violet**
Une **voie** de chemin de fer / une **voix** de soprano
Y **voir** clair / des jours, **voire** des mois entiers
Un gaz **volatil** / les **volatiles** de la basse-cour
Lancer à toute **volée** / les **volets** d'une fenêtre / **voler** de l'argent

L ES PARONYMES

« Fablier : recueil de fables servant à mesurer
le temps de cuisson d'un œuf à la coque. »
(Raoul LAMBERT, *Le Dicodingue*)

> On appelle paronymes deux mots proches par la sonorité ou la graphie,
> pouvant provoquer des méprises de sens :
> *affectif / effectif, allocation / allocution, antinomie / antonymie,
> collision / collusion*...
> Le mot « paronyme » vient du grec *para* signifiant « à côté de » et de *onoma*
> signifiant « nom ».

■ **Le sens général d'une phrase change parfois du tout au tout lorsqu'on
remplace un mot par un paronyme :**
Il est précepteur. / Il est percepteur.
C'est une allusion. / C'est une illusion.

■ **La phrase devient totalement incongrue et souvent incorrecte lorsque, par
inadvertance ou par ignorance, on emploie un mot à la place d'un autre :**
*Le sceptre du chômage.   au lieu de :   *Le spectre du chômage.*
*Il l'a agonisé d'injures.   au lieu de :   *Il l'a agoni d'injures.*

Les paronymes de même radical

On distingue les paronymes de même radical par leur préfixe ou leur suffixe :
*ab*jurer (renoncer solennellement) / *ad*jurer (supplier)
*adhé**rence*** (chose jointe à une autre) / *adhé**sion** à un parti, un syndicat*
*affec**tion*** (sentiment) / *affec**tation*** (manque de naturel)
*af*fleurer (apparaître en surface) / *ef*fleurer (toucher légèrement)
*af*fliger (chagriner) / *in*fliger une correction
*allo*cution (discours) / *élo*cution (manière de s'exprimer)
*all*usion (sous-entendu) / *ill*usion d'optique
*altern**ance*** (retours successifs) / *altern**ative*** (choix)
*am*ener (faire venir avec soi) / *em*mener (conduire avec soi hors d'un lieu)
amoral (qui ne distingue pas le bien du mal) / *immoral* (contraire à la morale)
apurer un compte (le reconnaître comme exact) / *épurer* (rendre pur)
attention (concentration) / *intention* (désir d'atteindre un but)
avènement (arrivée au pouvoir) / *événement*

blanchiment (rendre blanc) / *blanchissage* (nettoyer du linge)
compréhensible (qu'on comprend) / *compréhensif* (qui comprend)
dédicacer un livre / *dédier* (consacrer, offrir)
dénué (dépourvu de) / *dénudé* (mis à nu)

éclipse (occultation passagère d'un astre) / *ellipse* (omission)
effraction (bris de clôture, serrure) / *infraction* (violation d'un règlement)
effusion (tendresse) / *infusion* (tisane)
émerger (sortir de l'eau) / *immerger* (plonger dans l'eau)
émigrer (quitter son pays) / *immigrer* (venir s'établir dans un pays)
emménager (s'installer dans un nouveau logement) / *aménager* (disposer avec ordre)
entrer (passer du dehors au dedans) / *rentrer* (revenir dans un lieu)
éruption de boutons, volcanique / *irruption* (entrée soudaine)
évasion de prison / *invasion* (entrée en force)
éventaire (étalage extérieur) / *inventaire* (liste détaillée)
évoquer (faire penser à) / *invoquer* (appeler à son aide)
explicite (formulé nettement) / *implicite* (non formulé)

hiberner (passer l'hiver dans un état d'engourdissement) / *hiverner* (passer l'hiver à l'abri)

imagé (orné d'images) / *imaginé* (inventé)
importun (gênant) / *opportun* (favorable)
inclinaison (pente) / *inclination* (goût pour)
investiture (désigner un candidat) / *investissement* (placement d'argent)

largeur (dimension) / *largesse* (générosité)

machination (complot) / *machinerie* (ensemble d'appareils)
matériau (matière servant à construire) / *matériel* (équipement, outillage)
maudire (vouer au malheur) / *médire* (dire du mal)
médical (en rapport avec la médecine) / *médicinal* (qui sert de remède)

oppresser (étouffer) / *opprimer* (asservir)
original (inédit, personnel) / *originel* (initial)

partial (qui a des préférences) / *partiel* (partie d'un ensemble)
prééminent (supérieur) / *proéminent* (saillant)
prescription (ordonnance) / *proscription* (condamnation)

racial (relatif à la race) / *raciste* (partisan d'une race supérieure)
respectable (qu'on respecte) / *respectueux* (qui respecte)

séculaire (qui a lieu tous les cent ans) / *séculier* (qui vit dans le siècle)
somptueux (magnifique) / *somptuaire* (réglant les dépenses)

temporaire (provisoire) / *temporel* (du domaine des choses matérielles)

usagé (qui a beaucoup servi) / *usé* (détérioré)

Les paronymes de radicaux différents

On distingue les paronymes de radicaux différents par leur étymologie, leur genre, leur construction syntaxique ou le contexte :

aiglefin (poisson) / *aigrefin* (escroc)
amnistie (pardon collectif) / *armistice* (trêve)
assertion (affirmation) / *insertion* (action d'insérer, d'introduire)
avanie (brimade) / *avarie* (détérioration)

collision (choc brutal) / *collusion* (entente secrète)
congère (amas de neige) / *congénère* (de la même espèce)
consommer / *consumer* (détruire par le feu)
contacter (entrer en relation) / *contracter une maladie*

décerner (accorder une récompense) / *discerner* (distinguer)
désagrégation (action de séparer ce qui est uni) / *désintégration* (action de décomposer en particules)

ébouler (s') (s'affaisser avec glissement) / *écrouler (s')* (s'effondrer brusquement)
écharde (éclat de bois dans la chair) / *écharpe* (vêtement)
édicter (prescrire par une loi) / *éditer un livre*
esquisser un croquis / *esquiver* (échapper à)
exalter (glorifier) / *exulter* (être transporté de joie)
exode (départ en masse) / *exorde* (début d'un discours)
expansion (développement) / *extension* (élargissement)

imprudent (qui ne prend aucune précaution) / *impudent* (impertinent)
inculpé (accusé) / *inculqué* (enseigné)
induire en erreur / *enduire* (couvrir d'enduit)
intégral (total) / *intègre* (honnête)

lacune (omission) / *lagune* (étendue d'eau)
léser (causer un tort) / *lésiner* (économiser de façon sordide)
luxation (déboîtement) / *luxure* (débauche)

percepteur (fonctionnaire des impôts) / *précepteur* (éducateur)
perpétuer (faire durer) / *perpétrer* (commettre un crime)
prolifique (fécond) / *prolixe* (bavard)

résignation (renonciation) / *résiliation* (annulation)

sceptique (incrédule) / *septique* (qui produit une infection)
sceptre (attribut d'un souverain) / *spectre* (fantôme)

Utiliser les paronymes pour jouer avec les mots

Un paronyme mal employé dénote presque toujours une mauvaise connaissance de notre langue.

À l'inverse, il arrive souvent que l'emploi volontaire de paronymes soit à l'origine de jeux de mots, poétiques ou drôles :

- dans les locutions « détournées » par des humoristes :
  Je lâcherais tout, même la proie pour Londres.
  Une réflexion de mon palefrenier : Je panse, donc j'essuie.

(Alphonse ALLAIS)

- dans les proverbes et adages, qui rapprochent des paronymes dans une même phrase en jouant de leur consonance :
  Qui vole un œuf, vole un bœuf.
  Qui s'excuse, s'accuse.
  Qui se ressemble, s'assemble.
  Bouche de miel, bouche de fiel.

Il s'agit là d'une figure de style appelée « paranomase ».

QUELQUES FAUX AMIS

S'il est vrai qu'un mauvais usage des paronymes peut donner lieu à des erreurs cocasses (comme de parler de « vigile d'un navire » au lieu de « vigie » ou encore de « donner la signalisation d'un malfaiteur » au lieu de son « signalement »), ou à des plaisanteries du type « enduire d'erreur » pour « induire en erreur », il n'en reste pas moins que la confusion fréquente des mots proches dénote une mauvaise connaissance de notre langue.

Il arrive aussi que l'on commette des faux sens et que l'on donne à un mot le sens d'un autre mot.

Le moyen le plus sûr de ne pas se tromper est de consulter un dictionnaire.

Voici toutefois quelques faux sens courants, à éviter :

Acception ou acceptation ?	« L'acception d'un mot » désigne le sens réel d'un mot. On doit donc dire « *employer un mot dans son acception exacte* » (et non « *dans son acceptation* »). On dira en revanche « *donner son acceptation* » pour « donner son consentement ».
Agonir ou agoniser ?	« *Je l'ai agoni d'injures* » ou « *je l'ai agoni* » signifie « je l'ai accablé d'injures » ou « je l'ai injurié ». En aucun cas, vous ne direz « **je l'ai agonisé d'injures* ». L'agonie est réservée aux mourants.
Anoblir ou ennoblir ?	« *Il a été anobli par la reine* » veut dire que la reine lui a conféré un titre de noblesse. « Ennoblir » s'emploie au sens figuré : « *C'est le cœur qui ennoblit l'homme.* »
Apparier ou appareiller ?	Apparier des chaussettes, c'est les mettre par paire. « Appareiller » signifie « assortir » : « *Appareiller le mobilier d'une pièce.* »
Avatars ou aventures ?	« *Le voyage n'a pas été de tout repos ; nous avons eu beaucoup d'aventures désagréables* » (et non pas « *beaucoup d'avatars* »). Au sens propre, le mot « avatar » désigne les différentes incarnations de Vishnou. Il désigne au sens figuré une transformation, une métamorphose. Aucun rapport donc avec une aventure désagréable.
Circonscrire ou circonvenir ?	« *L'incendie a été circonscrit* », c'est-à-dire limité, maîtrisé. « Circonvenir » consiste à agir avec ruse pour parvenir à ses fins : « *Il a circonvenu ses juges.* »
De concert ou de conserve ?	« *Nous avons agi de concert* » (et non pas « *de conserve* »). L'expression « de concert » signifie « en accord ».

L'expression « de conserve », empruntée au terme de marine « conserver » qui signifie « naviguer en gardant à vue » s'emploiera plutôt pour exprimer qu'on suit la même route : « *aller de conserve* » = en compagnie.

Conjoncture ou conjecture ?

« *Il se perd en conjectures* » (et non pas « *en conjonctures* »).
Une « conjecture » est une hypothèse, une supposition : quelqu'un qui « se perd en conjectures », c'est quelqu'un qui envisage de multiples hypothèses, qui est indécis, perplexe.
La « conjoncture » désigne tout autre chose, à savoir une situation qui résulte d'une rencontre de circonstances. On parlera de la « *conjoncture présente* », d'une « *conjoncture favorable* » ou d'une « *conjoncture difficile* ».

Décade ou décennie ?

« *Les années 80 ont été une décennie riche en événements* » (et non « *une décade* »).
La décade désigne une période de dix jours, la décennie une période de dix ans.

Décrépie ou décrépite ?

« *La façade est décrépie* » : elle a perdu son crépi.
« *Une vieille toute décrépite* » montre, quant à elle, des signes de décrépitude : elle se trouve dans un état de grande faiblesse physique.

Démystifier ou démythifier ?

« *La plaisanterie a assez duré ; il faut le démystifier* » (et non le « *démythifier* »), c'est-à-dire le détromper en mettant fin à la supercherie.
Démythifier une idée, un personnage, un événement, c'est lui ôter sa valeur de mythe :
« *Ce livre a démythifié le personnage de Napoléon.* »

Dépréciation ou déprédation ?

« *Les déprédations commises par les cambrioleurs* » (et non les « *dépréciations* »).
On désigne par « déprédations » les dégâts qui accompagnent un vol ou un pillage.
La « dépréciation » peut faire suite à une « déprédation » puisqu'elle consiste en une diminution de prix :
« *La dépréciation d'une maison après un cambriolage* ».

Diptyque ou distique ?

« *Il a fait l'acquisition d'un merveilleux diptyque signé d'un maître italien de la Renaissance.* »
Le « diptyque » est un tableau formé de deux volets que l'on peut rabattre l'un sur l'autre. C'est aussi, dans un sens plus général, une œuvre (littéraire, artistique) composée en deux parties.
Le « distique » désigne en poésie une strophe de deux vers.

Éluder ou élucider ?	« *Elle a l'art d'éluder les questions délicates* », c'est-à-dire de les éviter adroitement. « Élucider » consiste à rendre clair ce qui ne l'était pas : « *élucider un mystère* ».
Éminent ou imminent ?	« *C'est un homme éminent* » (et non pas « *imminent* »), c'est-à-dire un homme remarquable. Est « imminent » ce qui est sur le point de se produire : « *Le départ du bateau est imminent.* »
Enfantin ou infantile ?	« *Cet exercice est d'une simplicité enfantine.* » Est « enfantin » ce qui est propre à l'enfant et qui ne convient guère qu'à un enfant, donc, au sens figuré, ce qui est facile. « Infantile » sert à qualifier, chez l'enfant, ce qui est caractéristique de la petite enfance comme « les maladies infantiles ». Il peut être employé à propos d'adultes dont on juge que le niveau intellectuel ou affectif est comparable à celui d'un enfant : « *Il a un comportement infantile.* »
Évoquer ou invoquer ?	« *Nous avons évoqué nos souvenirs de jeunesse pendant toute la soirée.* » Dans ce cas, « évoquer » signifie « rappeler à la mémoire ». Il peut également signifier « mentionner, aborder un problème » : « *Nous avons évoqué le problème de la cantine au conseil d'administration.* » « Invoquer », c'est appeler à l'aide par des prières, « invoquer les dieux » ou « faire appel, avoir recours à telle ou telle chose pour se justifier » : « *Connaissez-vous les raisons invoquées pour cette augmentation des tarifs ?* »
Exode ou exorde ?	« *L'exode rural a vidé les campagnes.* » Un « exode » est un départ en masse d'individus, un mouvement de migration important. « L'exorde » désigne la première partie d'un discours construit chez les rhétoriciens de l'Antiquité et, plus généralement, une entrée en matière.
Extension ou expansion ?	« *Le gouvernement a promis l'extension de cette mesure à toutes les personnes âgées de plus de soixante ans.* » « L'extension », c'est le fait de donner à quelque chose une portée plus générale. « L'expansion », c'est l'action qui consiste à se développer, à prendre plus de terrain ou de place dans le monde : « *On note avec inquiétude, depuis quelques années, l'expansion économique de la Chine.* »

Gourmand ou gourmet ?	*« Gourmand comme il l'est, rien d'étonnant à ce qu'il soit si gros. »* Le gourmand n'est pas forcément un gourmet car le gourmet ne mange pas tout et n'importe quoi. Être gourmet, c'est savoir apprécier la finesse d'un bon plat.
Impudent ou imprudent ?	*« Quel impudent ! Tu as vu la façon dont il a osé me parler ? »* Rien à voir ici avec l'imprudence du mauvais conducteur ou de l'enfant étourdi. Un « impudent » est une personne effrontée, impertinente, insolente, parfois même cynique.
Induire ou enduire ?	*« Vous m'avez induit en erreur »* (et non pas *« enduit »*). Heureusement, car « enduire » signifie « recouvrir d'un enduit » : *« Il faut enduire le papier peint de colle et laisser prendre quelques secondes. »* Quant à « induire », il signifie « amener, encourager à faire quelque chose ».
Infecté ou infesté ?	*« Une plaie infectée »* (et non pas *« infestée »*) est une plaie en état d'infection, contaminée par des germes infectieux. «Infesté» signifie « ravagé, envahi en masse » : *« Des marais infestés de moustiques. »*
Irruption ou éruption ?	*«Les deux malfaiteurs ont fait irruption dans la banque, armés de pistolets à eau. »* « Faire irruption », c'est faire une entrée soudaine et inattendue. On retrouve l'idée de soudaineté dans le mot «éruption », qu'il s'agisse du jaillissement de matières volcaniques ou de l'apparition de boutons sur le corps.
Législation ou législature ?	« La législation » désigne l'ensemble des lois propres à un pays, un domaine particulier. La « législature » correspond à la période durant laquelle une assemblée législative exerce ses pouvoirs : *« La législature de l'Assemblée est de cinq ans. »*
Littéral ou littéraire ?	*« Vous ferez une traduction littérale de ce texte. »* Une traduction « littérale » est une traduction faite mot à mot. Le sens « littéral » d'un mot est son sens propre, par opposition au sens figuré. Une citation « littérale » est une citation retranscrite mot pour mot, alors qu'une citation « littéraire » est une citation qui a rapport à la littérature.

189

Luxuriant ou luxurieux ?	«*Le château de la Belle au bois dormant était entouré d'une végétation luxuriante.*» Est «luxuriant» ce qui pousse, se développe en proliférant. On est bien loin du sixième commandement dans la Bible: «*Luxurieux point ne seras*», ce qui signifie qu'il faut renoncer à tout ce qui a trait à la débauche.
Natalité ou nativité ?	«*Le taux de natalité est en nette régression*» (et non pas «*le taux de nativité*»). La «nativité» désigne la naissance de Jésus, de la Vierge, de saint Jean-Baptiste, la fête anniversaire commémorant cette naissance, mais aussi un tableau ou une sculpture représentant la naissance du Christ. Rien à voir avec la «natalité» qui représente le rapport entre le nombre des naissances sur une période de temps donnée et l'effectif de la population considérée.
Notable ou notoire ?	«*Vous avez fait de notables progrès en orthographe.*» Est «notable», ce qui mérite d'être noté, relevé, remarqué. Ce qui est notoire n'est pas toujours notable. Ainsi, lorsqu'on dit de quelqu'un: «*Il est d'une bêtise et d'une méchanceté notoires.*» Est «notoire» ce qui est connu de manière évidente par un grand nombre de personnes.
Officieux ou officiel ?	«*Il est sur le point d'être nommé ambassadeur. La nouvelle est officieuse, elle ne sera rendue officielle que demain.*» Est «officieux» ce qui a été communiqué ou que l'on a appris indiscrètement d'une source autorisée mais sans garantie officielle. Est «officiel» ce qui a été certifié par une autorité reconnue.
Oiseux ou oisif ?	«*Il parle pour ne rien dire; il ne tient que des propos oiseux.*» Est «oiseux» ce qui ne sert à rien, ne mène à rien. Est «oisif» l'individu qui n'a pas d'activité, qui n'exerce aucune profession: «*Il n'a pas de soucis, il mène une vie oisive sur la côte d'Azur.*»
Ombrageux, ombreux ou ombragé ?	«*Il a un caractère ombrageux.*» C'est ce que l'on dit d'une personne qui a une forte tendance à s'inquiéter, à s'effrayer d'un rien. «Ombreux» et «ombragé» désignent un lieu abrité par un ombrage, un endroit qui est à l'ombre: «*En été, on recherche les forêts ombreuses, les vallées ombragées.*»

Opportun ou importun ?

« *Nous avons d'autres choses à faire aujourd'hui, nous réglerons ce problème au moment opportun.* »
« Opportun » signifie « qui convient dans un cas déterminé, qui vient à propos », à l'inverse de ce qui est « importun ».
L'importun déplaît, gêne par une conduite indiscrète ou une présence indésirable :
« *Le seul moyen d'éviter les importuns, c'est de débrancher son téléphone après vingt heures.* »

Paraphrase ou périphrase ?

« *Votre explication n'est qu'une paraphrase* », c'est-à-dire un développement verbeux et diffus.
La « périphrase » consiste à exprimer au moyen de plusieurs mots une notion qui pourrait l'être en un seul :
« *Une définition est une périphrase.* »

Partial ou partiel ?

« *Un juge n'a pas le droit d'être partial.* »
Être « partial », c'est prendre parti pour ou contre quelqu'un. Le juge se doit donc d'être impartial.
Est « partiel » ce qui ne constitue qu'une partie d'un tout : « *un examen partiel* ».

Perpétrer ou perpétuer ?

« *Un crime horrible a été perpétré dans la nuit de dimanche à lundi. L'assassin court toujours.* »
L'emploi du verbe « perpétrer » est réservé aux actes criminels et signifie « commettre, exécuter ».
« Perpétuer », c'est faire durer toujours ou très longtemps :
« *Ce monument perpétue le souvenir des grands hommes de la patrie.* »

Prédiction ou prédication ?

« *Les prédictions des météorologues ne se réalisent que rarement.* »
« Faire une prédiction », c'est annoncer un événement comme devant se produire, c'est prédire l'avenir.
Rien de commun avec la « prédication » qui consiste à prêcher, à enseigner, l'Évangile par exemple :
« *Les apôtres prêchaient l'Évangile.* »

Proéminent ou prééminent ?

« *Il n'est pas très beau : il a un nez proéminent.* »
L'adjectif « proéminent » sert à qualifier quelque chose qui dépasse en saillant, qui forme une avancée.
« Prééminent » désigne quelqu'un ou quelque chose que ses qualités rendent supérieur et qui est donc placé au premier rang, au premier plan :
« *Dans l'enseignement, on a souvent tendance à considérer les mathématiques comme une matière prééminente.* »

Prodige ou prodigue ?	« *La parabole du fils prodigue* » nous relate les mésaventures d'un fils qui, après avoir dilapidé sa part d'héritage, est revenu penaud vers son père. Il n'avait rien d'un enfant prodige. « Un enfant prodige » fait preuve de dons précoces tout à fait extraordinaires : « *Mozart fut un enfant prodige.* » Un individu « prodigue » a une fâcheuse tendance à jeter l'argent par les fenêtres : il n'est donc pas question de talent ici !
Prostré ou prosterné ?	« *À l'annonce de cette nouvelle, il est demeuré prostré pour le reste de la journée.* » Être « prostré », c'est se trouver dans un état d'abattement, d'inactivité totale. Être « prosterné » aux pieds de quelqu'un, c'est se courber, voire même s'étendre à terre devant lui en signe d'hommage ou de soumission.
Rebattre ou rabattre ?	« *Il nous en rebat les oreilles* » signifie qu'il nous le répète sans cesse, au point qu'on a envie de lui « *rabattre son caquet* ». « Rabattre les oreilles » ne se pratique guère que sur les chiens, et encore est-ce devenu de plus en plus rare.
Séculaire ou séculier ?	« *L'année séculaire est celle qui termine le siècle. Elle se retrouve tous les cent ans.* » « Séculaire » désigne aussi ce qui dure depuis un ou plusieurs siècles : « *un chêne séculaire* ». On retrouve la racine « siècle » dans l'adjectif « séculier », mais cette fois au sens de « monde » : le prêtre séculier est un religieux qui vit dans le siècle, dans le monde par opposition à un religieux régulier, qui vit retiré du monde, comme les moines.
Somptueux ou somptuaire ?	« *Ils ont organisé une somptueuse réception pour leurs amis.* » On désigne par l'adjectif « somptueux » ce qui a été organisé au prix de dépenses considérables ou ce qui est d'une beauté coûteuse, voire luxueuse. Cette idée de « dépense » se retrouve dans l'adjectif « somptuaire » qui signifie « relatif à la dépense », mais uniquement en ce qui concerne les lois. « Une loi somptuaire » est une loi fixant les dépenses en restreignant notamment les dépenses de luxe.
Suggestion ou sujétion ?	« *Votre suggestion est bonne, je la retiens* » (et non pas « *votre sujétion* »).

Une «suggestion» a pour objet de faire naître une idée dans l'esprit de quelqu'un.

La «sujétion» désigne un état de servitude, de soumission à quelqu'un ou quelque chose: «*Il vit dans la sujétion au tabac.*»

Vénéneux ou venimeux?

«*En automne, beaucoup de cueilleurs imprudents s'empoisonnent avec des champignons vénéneux.*»

L'adjectif «vénéneux» s'applique aux végétaux qui contiennent un poison pouvant être mortel.

«Venimeux» sert à qualifier les animaux qui ont du venin, comme les serpents.

À moins qu'il ne s'agisse d'une personne particulièrement méchante:

«*C'est la plus venimeuse de toutes les femmes.*»

193

LES MOTS
DU DISCOURS

L ES REGISTRES DE LANGUE

« Les mots que l'on prononce ne sont pas les mots qu'on écrit.
Autre syntaxe, autre monde. La page est imprononçable. »
(Pascal QUIGNARD, *Petits Traités*)

La langue comporte plusieurs registres qui permettent, à un même utilisateur ou à des utilisateurs différents, d'exprimer le même message de manière différente :
Géniale, ta baraque ! (registre familier)
T'as une belle maison ! (registre courant)
Tu as une fort belle demeure ! (registre soutenu)

Bien que parlant la même langue, nous n'avons pas tous la même manière de nous exprimer.

■ **Le registre de langue peut varier d'un utilisateur à un autre.**
Cette variation s'effectue en fonction du contexte social, culturel et professionnel.

■ **Le registre de langue peut également varier chez le même individu.**
Une même personne modulera son registre en fonction des situations et des interlocuteurs auxquels elle s'adresse.
On s'exprimera en effet de façon différente selon que l'on s'adresse à un membre de sa famille, à un ami, à un supérieur hiérarchique, à un auditoire...

À quoi reconnaît-on les différents registres de langue ?

Les différences entre les registres sont marquées essentiellement :

■ **dans la phonétique**
La prononciation n'est pas la même selon que l'on s'exprime dans un registre familier ou soutenu :
V'là mon n'veu ! T'as d'beaux ch'veux !

■ **dans le vocabulaire employé**
Les dictionnaires signalent le caractère familier, populaire, littéraire... des mots :
une baffe (familier), *une gifle* (courant), *un soufflet* (vieux ou littéraire)
rouspéter (familier), *protester* (courant), *incriminer* (soutenu)

■ **dans la syntaxe**
La construction des phrases, l'ordre des mots, varient d'un registre à l'autre :
Moi, c'type, je l'aime pas. (registre familier : phrase segmentée, négation incomplète)
Je n'aime pas cet homme. (registre courant ou soutenu)

Les trois principaux registres de langue

■ Le registre familier

Il correspond à une parole spontanée. C'est celui que l'on emploie avec ses parents, ses amis, dans des situations de communication sans contraintes.

Il emprunte beaucoup de ses caractéristiques au **modèle oral** : phrases juxtaposées plutôt que subordonnées, phrases sans verbe, règles classiques de concordance des temps non respectées, absence du « ne » dans les locutions négatives... et un vocabulaire laissant une grande place à l'argot ou aux mots dits « grossiers ».

L'était un peu plus dmidi quand j'ai pu monter dans l'esse. Jmonte donc, jpaye ma place comme de bien entendu et voilàtipas qu'alors jremarque un zozo l'air pied avec un cou qu'on aurait dit un télescope et une sorte de ficelle autour du galurin.

(R. Q<small>UENEAU</small>, « Vulgaire », *Exercices de style*, © Éditions Gallimard)

■ Le registre courant

C'est celui que l'on emploie, à l'oral comme à l'écrit, dans des situations de la vie quotidienne en présence de personnes que nous ne connaissons pas bien ou pas du tout. Il est fondé, d'un point de vue syntaxique, sur un **usage correct** de la langue. Les mots sont compris du plus grand nombre sans difficulté.

C'était midi. Les voyageurs montaient dans l'autobus. On était serré. Un jeune monsieur portait sur sa tête un chapeau qui était entouré d'une tresse et non d'un ruban. Il avait un long cou.

(R. Q<small>UENEAU</small>, « Imparfait », *Exercices de style*, © Éditions Gallimard)

■ Le registre soutenu

Il n'est jamais spontané et demande des efforts particuliers d'attention et de recherche pour bien parler ou bien écrire.

Il est associé à des situations de communication de contrainte.

Il requiert une connaissance approfondie des ressources de la langue, tant sur le plan de la syntaxe (phrases complexes, règles classiques de concordance des temps, emplois de certains temps du subjonctif...) que sur le plan du lexique (vocabulaire recherché, rare, littéraire, technique, terminologique...).

Il multiplie les références littéraires, historiques, artistiques... et tire l'essentiel de ses caractéristiques du **modèle écrit**.

Queneau nous en offre ici une amusante caricature, déclinée des deux précédents exemples :

Le philosophe qui monte parfois dans l'inexistentialité futile et outilitaire d'un autobus S y peut apercevoir avec lucidité de son œil pinéal les apparences fugitives et décolorées d'une conscience profane affligée du long cou de la vanité et de la tresse chapeautière de l'ignorance.

(R. Q<small>UENEAU</small>, « Philosophique », *Exercices de style*, © Éditions Gallimard)

L ES FIGURES DE RHÉTORIQUE

« Je suis persuadé qu'il se fait
plus de Figures un jour de marché à la Halle,
qu'il ne s'en fait en plusieurs jours d'assemblées académiques. »
(César CHESNEAU, Sieur du Marsais, *Traité des Tropes*)

■ **La rhétorique est l'art de bien dire.**
Le mot « rhétorique » vient du grec *rhêtorikê*, de *rhêtor* qui signifie « orateur ».

■ **Les figures de rhétorique sont des manières volontaires de s'exprimer pour donner plus d'originalité, de vie, de force au discours.**
Elles permettent d'être expressif et donc de retenir l'attention de celui à qui l'on s'adresse.

■ **Il arrive tous les jours que nous utilisions telle ou telle figure sans même en avoir conscience...**
...tout comme monsieur Jourdain (dans *Le Bourgeois gentilhomme* de Molière), qui fait de la prose sans le savoir.
C'est le cas notamment de ces comparaisons ou de ces métaphores qui se sont usées au fil du temps et qui ne sont plus perçues comme des figures.
Dirions-nous spontanément que l'expression « passer l'éponge » est une métaphore ? Sûrement non.

■ **Savoir identifier une figure, en comprendre le fonctionnement,** c'est se donner les moyens d'en apprécier l'originalité – ou le manque d'originalité, et dans ce dernier cas, de chercher à la réactiver.
C'est surtout se donner les moyens d'être réceptif à toutes les finesses de notre langue et d'en user à notre tour.

---

*Comment exprimer de façon imagée
une ressemblance ou une analogie ?*

LA COMPARAISON

La comparaison rapproche deux termes, au moyen d'un mot comparatif, pour insister sur les rapports de ressemblance qui les unissent :
Il est têtu comme un âne.
Il se conduit comme un enfant gâté.

■ **Une comparaison comporte :**
– **un comparé** : c'est l'objet ou l'être que l'on compare ;
– **un comparant** : c'est l'objet ou l'être auquel on compare ;
– **un mot ou un groupe de mots comparatifs** : *comme, semblable à, ainsi, tel...*
– **une motivation, un point de comparaison.**
Prenons la phrase suivante :
Emma est rouge comme une tomate.
La comparaison se décompose comme suit :

Emma	*est rouge*	*comme*	*une*	*tomate*
comparé	motivation	marque de comparaison		**comparant**

■ **La comparaison vieillit vite.**
Soit le comparant n'a plus cours dans la langue d'aujourd'hui, soit la comparaison connaît un usage si répété dans la langue courante qu'elle en perd toute son originalité première pour être reléguée au rang du lieu commun, du cliché (➡ « Sous le signe de la comparaison », page 212).
Mais la comparaison peut être réactivée, par la langue argotique ou encore par les poètes qui se livrent à des rapprochements inattendus :
L'espoir luit comme un brin de paille dans l'étable.   (VERLAINE, *Sagesse*)
Mon verre s'est brisé comme un éclat de rire.   (APOLLINAIRE, *Nuit rhénane*)

LA MÉTAPHORE

Le mot « métaphore » vient du grec *meta* qui signifie « changement » et *pherein* « porter », c'est-à-dire « déplacement de sens ».

La métaphore assimile deux termes pour insister sur les rapports de ressemblance qui les unissent mais, à la différence de la comparaison, le mot comparatif est absent.
Lorsque l'on dit de quelqu'un de rusé : « il a la ruse du renard », on fait une métaphore.
Lorsque l'on dit : « il est rusé comme un renard », on fait une comparaison.

■ La métaphore comporte généralement un comparant et un comparé, mais il arrive parfois que le comparé soit absent.
On distingue donc :

▥ **La métaphore annoncée**
Elle met en présence un comparé et un comparant :
Elle a une taille (comparé) *de guêpe* (comparant).

▥ **La métaphore directe**
Elle se réduit à un comparant, sans faire apparaître le comparé ou le terme comparatif :
le fléau de la société, une source de chagrin, un monument de bêtise....

■ **La métaphore filée**

Elle consiste à développer une succession, un enchaînement de métaphores autour d'un même thème.

C'est donc une métaphore développée par plusieurs termes comme dans ces vers :

Un bel arbre
*Ses branches sont des **ruisseaux***
Sous les feuilles
*Ils **boivent** aux **sources** du soleil*
*Leurs **poissons** chantent comme des perles.*

(Paul ÉLUARD)

■ **La métaphore comme la comparaison peut, à force d'être employée, vieillir.**

Elle perd toute fraîcheur pour devenir alors un **cliché** :

un teint de lis, un appétit de moineau, une faim de loup...

Mais le cliché peut toujours être évité, soit par une légère modification, soit par un emploi humoristique...

Un teint de lis flétri, un appétit de gros moineau...

■ **La métaphore crée une image poétique forte.**

Elle rapproche de façon dense et inattendue deux réalités, deux domaines que l'on n'aurait pas l'idée de confronter ordinairement.

L'ALLÉGORIE

Le mot « allégorie » vient du grec *allos* signifiant « autre » et de *agoreueîn*, « parler », c'est-à-dire « parler autrement ».

L'allégorie consiste à rendre concrète une abstraction, c'est-à-dire à représenter de façon imagée une idée, un sentiment, une qualité morale ou une force de la nature.

Représenter la mort sous la forme d'une vieille femme munie d'une faux est une allégorie.

Représenter l'amour, sentiment abstrait, sous les traits de l'enfant Éros, est une allégorie.

■ **L'allégorie se caractérise par deux procédés essentiels :**

▬ **La personnification**

Elle consiste à donner forme humaine à une abstraction, un animal ou un objet (l'emploi de la majuscule suffit souvent à marquer, à lui seul, la personnification) :

Tu marches sur des morts, Beauté, dont tu te moques ;
De tes bijoux, l'Horreur n'est pas le moins charmant,
Et le Meurtre, parmi tes plus chères breloques,
Sur ton ventre orgueilleux danse amoureusement.

(Charles BAUDELAIRE, *Hymne à la beauté*)

■ **La prosopopée**

Elle consiste à faire parler un être absent ou mort, un animal ou une réalité personnifiée. C'est un cas particulier de personnification.

Ainsi dans ces vers d'Agrippa d'Aubigné, où la France prend la parole :

Vous avez, Félons, ensanglanté
Le sein qui vous nourrit et qui vous a portés.

(Agrippa d'Aubigné, *Les Tragiques*)

■ **L'allégorie peut devenir un genre littéraire sous forme d'un récit imaginaire comme :**

■ **un mythe**, récit légendaire oral ou écrit, qui conte les origines de l'univers, et met en scène des forces naturelles, des dieux, des héros.

Le mythe de Sisyphe, le mythe de Prométhée...

■ **une parabole**, récit derrière lequel se cache un enseignement, souvent religieux ou moral.

les paraboles du « Bon Samaritain », de l'« Enfant prodigue » dans la Bible...

■ **une fable**, histoire imaginaire qui a pour but d'illustrer une morale placée à la fin ou au début du récit et qui contient le sens allégorique.

Elle met souvent en scène des animaux chargés de représenter les hommes, comme dans *Les Fables* de Jean de La Fontaine.

Comment dire la même chose en substituant un ou plusieurs mots à un autre mot ?

LA MÉTONYMIE

Le mot « métonymie » vient du grec *méta* qui signifie « changement » et *onoma*, « nom », c'est-à-dire « emploi d'un nom pour un autre ».

La métonymie consiste à ne pas désigner un être ou un objet par son nom mais par un autre nom qui est lié au premier par un rapport logique.

Une belle main (pour une belle écriture),
boire un verre (pour le contenu du verre),
un premier violon (pour celui qui joue de cet instrument),
le champagne (pour le produit fabriqué dans cette région)...

sont des métonymies que nous employons tous les jours.

■ Les rapports logiques qu'entretiennent les deux mots dans une métonymie sont de natures fort diverses.

On peut désigner :

- **le contenu par le contenant**
  boire une bouteille, un verre, un bol de lait, une tasse de café...
- **le produit par son lieu d'origine**
  du bordeaux, du cognac, du curaçao, un camembert, un cachemire, un jersey, un madras...
- **l'utilisateur par l'objet qu'il utilise**
  une grève des trains (ce sont les conducteurs qui sont en grève),
  une sacrée fourchette, une fine lame, un premier violon...
- **l'œuvre par son auteur**
  un Picasso, un Rodin, un Flaubert...

Il est impossible de donner une liste exhaustive des types de rapports qui entrent en jeu dans la métonymie.

■ **La métonymie se différencie de la métaphore par les caractéristiques suivantes :**

- **la métonymie ne repose jamais sur un rapport de ressemblance, mais sur un rapport de voisinage.**
  On ne dit pas « boire une bouteille » parce que la bouteille ressemble à du vin mais parce que cette bouteille contient du vin.

- **la métonymie repose sur une relation de proximité** entre le comparant et le comparé qui appartiennent au même domaine ou ont un lien logique.
  La métaphore, elle, repose sur un rapport d'analogie entre un comparant et un comparé qui appartiennent à deux domaines distincts.
  En faisant une métonymie, on n'invente rien.

■ **La métonymie permet de s'exprimer de manière plus imagée et plus concise.**

LA SYNECDOQUE

Le mot « synecdoque » vient du grec *sun* qui signifie « avec, ensemble » et *ekdokhê*, « recueillir », c'est-à-dire « compréhension simultanée de deux termes ».

La synecdoque est une variante de la métonymie.
Elle consiste à remplacer le nom d'un être ou d'une chose, non par le nom d'une de ses caractéristiques, mais par celui d'une de ses parties.

Un toit (pour une maison), *Paris* (pour la France), *une voile* (pour un bateau à voile) sont des synecdoques :
  Ils n'ont pas même un toit. Paris vaut bien une messe.
  Je vis une flottille de vingt voiles apparaître à l'horizon.

■ **La synecdoque se caractérise en fait par un rapport d'inclusion au sens large :**
– la partie pour le tout : *une voile,* pour un bateau à voile
– le tout pour la partie : *un feutre,* pour un stylo à pointe de feutre
– l'espèce pour le genre : *une bête,* pour un chien
– le genre pour l'espèce : *le pain,* pour la nourriture *(ôter le pain de la bouche)*
– le singulier pour le pluriel : *l'homme,* pour les hommes en général
– le pluriel pour le singulier : *les terres,* pour un champ
– la matière pour l'objet : *une petite laine,* pour un gilet en laine

■ **Dans la synecdoque, le mot utilisé en remplacement désigne toujours un élément faisant partie intégrante de l'être ou de l'objet considéré.**
Il s'agit d'une seule et même chose, ou du même être : le *toit* fait partie de la *maison, Paris* fait partie de la *France,* la *voile* fait partie du *voilier.*
Ce n'est pas le cas dans la métonymie : lorsque je parle d'un *premier violon,* le violon ne fait pas partie du violoniste.

LA PÉRIPHRASE

Le mot « périphrase » vient du grec *peri,* « autour » et *phrasis* « expression », et signifie « parler par circonlocutions ».

La périphrase consiste à dire en plusieurs mots ce qui pourrait être dit en un seul.
L'empire du Soleil-Levant (= le Japon),
le billet vert (= le dollar),
le roi des animaux (= le lion)
sont des périphrases couramment employées.

Une définition est une périphrase exacte :
femelle du cheval : jument
plus long fleuve du monde : le Nil

■ **La périphrase produit des effets divers.**

▦ **Un effet de mystère**, à la manière d'une devinette.
Elle fait alors appel à la culture ou à l'imagination de l'interlocuteur :
Le vivant petit clocher de plumes (= le coq)

(SAINT-POL ROUX)

▦ **La mise en relief** d'un aspect particulier de l'être ou de la chose qu'elle désigne :
L'homme du 18 juin (= Charles de Gaulle)

▦ **Un effet d'ampleur**
La périphrase est plus puissante qu'un mot simple :
Celui de qui la tête au Ciel était voisine
Et dont les pieds touchaient à l'Empire des Morts.
(= le chêne abattu, dans *Le Chêne et le Roseau,* de LA FONTAINE)

■ **La périphrase peut toucher au ridicule.**

C'est le cas pour de nombreuses périphrases mises à la mode par le mouvement précieux au xviie siècle :

les miroirs de l'âme (= les yeux),
les commodités de la conversation (= les fauteuils),
l'ameublement de la bouche (= les dents),
la jeunesse des vieillards (= la perruque),
le conseiller des grâces (= le miroir)...

Comment utiliser les mots de sens contraires pour donner plus de force à un énoncé ?

L'ANTITHÈSE

Le mot « antithèse » vient du grec *anti* qui signifie « contre » et *thesis,* « action de poser », c'est-à-dire « action d'opposer ».

L'antithèse consiste à rapprocher dans un même énoncé deux mots ou deux idées qui s'opposent par le sens.

Le froid, le chaud ; la beauté, la laideur ; la vie, la mort sont des notions antithétiques.

Ou encore ce vers de Shakespeare, dans *Hamlet* :

Être ou ne pas être, voilà la question.

■ **L'antithèse, qui repose sur un fort contraste de sens, permet de produire des effets saisissants.**

Comparant Danton et Marat dans *Quatre-Vingt-Treize*, Victor Hugo écrit :

Les deux hommes étaient, l'un une espèce de géant, l'autre une espèce de nain.

L'ANTIPHRASE

Le mot « antiphrase » vient du grec *anti* qui signifie « contre » et *phrasis,* « expression », c'est-à-dire « expression qui dit le contraire de ce qu'on veut faire entendre ».

L'antiphrase consiste à dire le contraire de ce que l'on veut exprimer, en sachant que notre pensée sera comprise par la personne à qui l'on s'adresse.

À un enfant qui s'est mal conduit, on dira :

Bravo ! C'est du joli ! C'est malin ! C'est réussi !

Voyant passer un homme particulièrement laid ou contrefait, on s'exclamera :

Bel homme !

Ou encore ces vers de Victor Hugo prononcés par Ruy Blas qui dénonce la malhonnêteté des ministres du Roi :

> ... Ô ministres **intègres** !
> *Conseillers* **vertueux** ! *voilà votre façon*
> *De servir, serviteurs qui pillez la maison !*

■ **L'emploi de l'antiphrase provoque et soutient l'ironie.**

L'OXYMORE

Le mot « oxymore » vient du grec *oxumôron* qui signifie « fin-sot », c'est-à-dire « fin sous une apparence de niaiserie ».

L'oxymore (ou alliance de mots) consiste à juxtaposer deux mots de sens contraire, que l'on n'a donc pas l'habitude de trouver accolés.

> *Un illustre inconnu, un silence éloquent, se hâter lentement,* sont des oxymores.

Ou encore :

> Cette **obscure clarté** qui tombe des étoiles.　　　　(CORNEILLE, *Le Cid*)
> Entrez, ne plaignez pas ma **riche pauvreté.**　　　　(LAMARTINE)

■ **L'oxymore réunit deux mots de sens contraire qui appartiennent à un même groupe de mots :**

> ... quelque **joli petit crime** conduisant droit en cour d'assises.
> 　　　　　　　　　　　　　(STENDHAL, *Romans et Nouvelles*)

L'antithèse oppose deux mots de sens contraire, employés dans deux groupes de mots différents selon une construction symétrique :

> C'était **magnifique** et c'était **affreux** !　　　(BARBEY d'AUREVILLY, *L'Ensorcelée*)

■ **L'oxymore crée un effet de surprise en créant une nouvelle réalité.**
Il est plus particulièrement employé en poésie.

Comment donner de l'ampleur à un énoncé ?

L'HYPERBOLE

Le mot « hyperbole » vient du grec *huper* qui signifie « au-delà » et de *ballein*, « lancer », c'est-à-dire « dépasser la mesure, exagérer ».

L'hyperbole consiste à employer des mots très forts qui vont au-delà de la pensée. C'est l'expression exagérée ou amplifiée d'une idée ou d'un fait.

> *Verser un torrent de larmes, le plus grand coureur automobile de tous les temps, un talent fou, je vous l'ai dit cent fois, porter quelqu'un aux nues,* sont des hyperboles employées dans la langue courante.

Ainsi dans ce passage, où Madame de Sévigné annonce à grand renfort d'hyperboles les funérailles du Prince :

[...] le moyen de ne vous pas parler de la plus belle, de la plus magnifique et de la plus triomphante pompe funèbre qui ait jamais été faite depuis qu'il y a des mortels ? C'est celle de feu M. le Prince.

(Madame de Sévigné, *Lettres*, 1015)

■ **Parmi les procédés qui produisent l'hyperbole, on peut noter :**

▪ **l'accumulation de superlatifs :**
le plus grand, le plus beau, le plus fort...
très grand, très beau, très fort...

▪ **la comparaison ;**
il est fort comme un taureau, il est beau comme un dieu...

▪ **l'emploi d'un lexique** constitué de mots comme :
champion, géant, roi, extraordinaire, magnifique, génial, incroyable, fantastique, grandiose, inoubliable, cent, mille...

▪ **certains préfixes ou suffixes ;**
hyper-, super-, méga-, -issime....

■ L'hyperbole est aussi bien employée dans la langue familière que le discours politique, le pamphlet, les grands titres des journaux, l'épopée, mais aussi les textes humoristiques ou caricaturaux.
Elle est notamment particulièrement utilisée dans le langage publicitaire, l'objectif étant de convaincre le consommateur que le produit présenté est extraordinaire. D'où l'emploi fréquent d'expressions comme : *ultra-rapide, superéconomique, extra-blanc, prix incroyables, prix imbattables,* etc.

■ **L'emploi de l'hyperbole résulte d'un désir de convaincre, de faire rire, de provoquer l'indignation ou la pitié, en un mot d'interpeller celui à qui l'on s'adresse.**

LA GRADATION

Une gradation est constituée d'une succession de mots ou d'idées de sens proche, rangés en ordre croissant ou décroissant d'intensité :
*Va, **cours, vole**, et nous venge !*   (Corneille, *Le Cid*)

Vous voulez qu'un roi meure, et pour son châtiment
*Vous ne donnez qu'un **jour**, qu'une **heure**, qu'un **moment** !*   (Jean Racine)

■ **Ce qui différencie la gradation de l'énumération**, c'est que l'énumération n'implique pas forcément une gradation :
« Il faut laisser maisons et vergers, et jardins
Vaisselles et vaisseaux que l'artisan burine. »   (Ronsard, *Derniers Vers*)

■ **La gradation peut être ascendante ou descendante.**

■ **Lorsqu'elle est ascendante,** l'idée est exprimée avec des mots de plus en plus forts :
*Oui mon frère, je suis un **méchant**, un **coupable**,*
*Un **malheureux pécheur tout plein d'iniquité*** (MOLIÈRE, *Tartuffe*)

■ **Lorsqu'elle est descendante,** l'idée est exprimée avec des mots de moins en moins vigoureux :
Un bloc de marbre était si beau
Qu'un statuaire en fit l'emplette.
Qu'en fera, dit-il, mon ciseau ?
*Sera-t-il **dieu, table** ou **cuvette** ?* (LA FONTAINE, *Fables*)

■ **L'emploi de la gradation crée un effet d'intensité.**
Il peut être parfois dramatique, parfois comique, comme dans ces propos d'Harpagon qui se lamente sur la disparition de son argent :
*Au voleur ! au **voleur** ! à **l'assassin** ! au **meurtrier** ! [...] **Je suis perdu, je suis assassiné** ! **On m'a coupé la gorge, on m'a dérobé mon argent** ! [...] Hélas ! mon **pauvre argent**, [...] mon **cher ami** ! [...] j'ai perdu mon **support**, ma **consolation**, ma **joie** ; [...] C'en est fait, **je n'en puis plus, je me meurs, je suis mort, je suis enterré** !* (MOLIÈRE, *L'Avare*)

Comment atténuer un énoncé ?

LA LITOTE

Le mot « litote » vient du grec *litotês* qui signifie « affaiblissement ».

La litote consiste à dire moins pour faire entendre plus.
C'est l'expression volontairement atténuée d'une idée ou d'un fait.

Ainsi ce célèbre vers de Corneille, dans *Le Cid*, qui permet à Chimène d'exprimer avec pudeur l'amour intense qu'elle ressent pour Rodrigue :
Va, je ne te hais point.

On emploie fréquemment la litote dans la langue courante :
Il n'est plus tout jeune (= il est vieux)   *Ce n'est pas mal* (= c'est bien)
Il n'est pas très beau (= il est laid)   *Il n'est pas bête* (= il est intelligent)...

■ **Parmi les procédés qui produisent la litote,** on peut noter l'emploi fréquent du tour négatif :
*Il **n'**est **pas** sot, je **ne** suis **pas** mécontent, ce **n'**est **pas** mauvais...*

■ **L'emploi de la litote résulte d'un désir de s'exprimer à la fois avec force et pudeur.**

L'EUPHÉMISME

Le mot « euphémisme » vient du grec *eu* qui signifie « bien » et *phêmê*, « parole », c'est-à-dire « emploi d'un mot favorable ».

L'euphémisme est un adoucissement, une atténuation d'une vérité pénible, cruelle, ou agressive.
Le troisième âge, il a cessé de souffrir, ce n'est pas un Apollon sont des euphémismes.
Ou encore cette citation de Victor Hugo :
Il est temps que je me repose. (= que je meure)

■ **On a souvent recours à l'euphémisme dans la langue courante.**

On le trouve plus particulièrement dans les domaines suivants :
– la mort :
on préfère dire *il nous a quittés, il a cessé de souffrir, il n'est plus, il s'en est allé* au lieu de dire « il est mort » ;
– la maladie :
le cancer est souvent désigné par l'expression *longue et cruelle maladie ;*
les gens frappés de cécité sont dits *non-voyants,* les sourds deviennent des *mal-entendants ;*
– la vie sociale et politique :
on préfère parler d'*opérations de maintien de l'ordre* que de répression ;
de *révision* ou de *réaménagement des tarifs* que d'augmentation ;
de *compression du personnel* que de licenciement.

■ **L'euphémisme vise toujours à atténuer l'effet que produirait la formulation exacte.**

Comment jouer sur la construction des phrases pour donner plus de force à un énoncé ?

L'ANACOLUTHE

Le mot « anacoluthe » vient du grec *anacoluthon,* qui signifie « qui ne suit pas », « inconséquent ».

L'anacoluthe est une rupture de construction syntaxique, c'est-à-dire une transformation, au milieu d'une phrase, de la construction grammaticale que le début de cette phrase laissait attendre :
Le nez de Cléopâtre, s'il eût été plus court, toute la face de la terre aurait changé. (PASCAL, *Pensées,* 162)

On s'attend à ce que « le nez de Cléopâtre » soit sujet du verbe principal, or il est remplacé dans cette fonction par « toute la face de la terre ».

Un texte oral (dialogue, conversation téléphonique) retranscrit à l'écrit offre un bel exemple d'enchaînement d'anacoluthes.

Transcrit en écriture ordinaire, sans marques de pause ou d'intonation, les phrases d'un tel dialogue semblent presque incohérentes et, grammaticalement, elles le sont, alors qu'entendues, elles seraient compréhensibles.

■ **L'anacoluthe peut être une faute involontaire à l'écrit.**
Cela arrive notamment lorsqu'on écrit des phrases longues et qu'on ne parvient pas à en maîtriser la construction :

Déçue» *par son comportement pendant le dîner, Édouard présenta ses excuses à Julie.*

« Déçue » se rapportant à « Julie », la règle voudrait que « Julie » soit le sujet du verbe principal. Or, le sujet dans cette phrase est « Édouard ».

■ **L'anacoluthe, sous la plume d'auteurs célèbres, devient figure de style.**
Elle permet de renforcer l'énoncé, de mettre en valeur des mots, en créant un effet de surprise :

Après boire, l'homme qui regarde la table et qui soupire, c'est qu'il va parler.

(Jean GIONO, *Un de Baumugnes*)

L'ANAPHORE

Le mot « anaphore » vient du grec *anaphora* qui signifie « transport en haut, reprise ».

L'anaphore est la répétition d'un même mot ou d'une même construction au début de vers, de phrases ou membres de phrases successifs :
*Toujours aimer, **toujours** souffrir, **toujours** mourir.*　　　(CORNEILLE)

La tirade suivante, de Corneille dans *Horace*, est construite sur le procédé de l'anaphore :

***Rome**, l'unique objet de mon ressentiment !*
***Rome**, à qui vient ton bras d'immoler mon amant !*
***Rome** qui t'a vu naître, et que ton cœur adore !*
***Rome** enfin que je hais parce qu'elle t'honore !*

De même, Victor Hugo dans *Les Châtiments* :

***Ceux** qui vivent, ce sont ceux qui luttent, ce sont*
***Ceux** dont un dessein ferme emplit l'âme et le front*
***Ceux** qui d'un haut destin gravissent l'âpre cime,*
***Ceux** qui marchent pensifs, épris d'un but sublime, [...]*

■ **L'emploi de l'anaphore crée un effet d'insistance** en martelant un même mot à la place la plus visible, en tête de phrase ou de vers.

LE CHIASME

Le mot « chiasme » vient du grec *khiasma* qui signifie « croisement ».
Il se prononce « kiasme ».

Le chiasme est une construction qui consiste à présenter de manière croisée des mots ou groupes de mots, en réunissant au centre et aux extrémités les éléments de même nature, de même fonction grammaticale ou de même sens.

Des expressions comme *tous pour un et un pour tous, il faut manger pour vivre, et non vivre pour manger* sont construites en chiasme.

Ou encore ce vers de Corneille dans *Le Cid* :
   Plus l'**offenseur** est <u>cher</u>, et plus <u>grande</u> est l'**offense**.

■ **Le chiasme peut porter sur la nature ou la fonction grammaticale des mots.**

Ainsi, dans ce vers de Baudelaire :
   Valse <u>mélancolique</u> et <u>langoureux</u> *vertige.*
   nom   adjectif   adjectif   **nom**

Ou dans ce vers des *Plaideurs* de Racine :
   Tel qui **rit**   <u>vendredi,</u> <u>dimanche</u> **pleurera.**
   verbe   nom   nom   **verbe**

■ **Le chiasme peut porter sur le sens des mots.**

Comme dans ce vers de Vigny :
   Le **roulis** <u>aérien</u> *des* <u>nuages</u> *de* **mer.**
   mer   air   air   **mer**

■ **L'emploi d'une construction en chiasme permet de renforcer le sens des mots ainsi disposés, tout en créant souvent un effet de rythme.**

L'ELLIPSE

Le mot « ellipse » vient du grec *elleipsis* qui signifie « manque, défaut de quelque chose ».

L'ellipse consiste à supprimer un ou plusieurs mots dans une phrase sans pour autant en modifier le sens, les mots qui restent permettant de retrouver ceux qui manquent :
   Il n'a pas été blessé, juste choqué.

L'ellipse de « il a été » devant « juste choqué » ne modifie ni n'amoindrit le sens de la phrase.

Ou encore dans ce vers d'*Andromaque* de Racine :
   Je t'aimais inconstant ; qu'aurais-je fait fidèle ?

Il faut sous-entendre ici toute une proposition (si tu avais été fidèle).

■ **L'emploi de l'ellipse allège le discours.**
Mais il n'en altère pas la compréhension ; l'ellipse permet la suppression de fastidieuses répétitions, le rapprochement et la mise en relief de deux termes qui, sans elle, seraient séparés.

■ **Mal utilisée, l'ellipse peut devenir source d'équivoques :**
Photographie commence par « ph » et finit par « f ».
Il vaut mieux dans ce cas répéter le verbe *(et « finit »* commence *par « f »).*

LE ZEUGMA

Le mot « zeugma » vient du grec *zeugma* qui signifie « joug, lien ».

Le zeugma consiste à lier syntaxiquement deux mots ou groupes de mots dont un seul se rapporte logiquement au verbe :
Vêtu de probité candide et de lin blanc.
(V. Hugo, « Booz endormi », La Légende des siècles)
« Madame, je suis assez bien de ma personne, et membre de plusieurs sociétés savantes. »
(Christophe, L'Idée fixe du savant Cosinus)

■ **Les deux mots liés syntaxiquement peuvent être incompatibles.**

▬ parce que l'un est abstrait et l'autre concret :
*Un livre plein de **poésie** et de **dessins**.*

▬ parce qu'ils font appel à deux constructions différentes du verbe dont ils dépendent :
*Il parle **gentiment** et **avec tout le monde**.*

▬ parce qu'ils font appel à deux sens différents du verbe :
*Retenez **cette date** et **une place** dans le train du soir.*
Le verbe *retenir* est employé à la fois dans le sens de « se rappeler » et de « réserver ».

■ **Le zeugma peut devenir une faute grave, notamment à l'écrit !**

SOUS LE SIGNE DE LA COMPARAISON

La comparaison, l'une des figures de rhétorique les plus simples, ne manque pas pour autant de saveur. Cocasse, familière, poétique ou banale (il faut alors s'en méfier comme d'un cliché), elle ravive le langage.

▌ FAÇONS D'AGIR, COMPORTEMENTS

à *la va comme je te pousse*	→ n'importe comment
agir *comme en pays conquis*	→ avec arrogance
aimer *quelque chose, quelqu'un*	
comme ses petits boyaux	→ beaucoup
aller et venir *comme pois en pots*	→ à toute allure
arriver *comme les carabiniers*	→ arriver très en retard,
(d'Offenbach)	lorsque tout est terminé
arriver *comme mars en carême*	→ inévitablement, régulièrement
arriver *comme un boulet (de canon)*	→ très vite, avec impétuosité
arriver *comme un cheveu sur la soupe*	→ mal à propos
arriver *comme un chien*	
dans un jeu de quilles	→ très mal à propos
arriver, tomber *comme une bombe*	→ soudainement
attendre *quelqu'un comme le Messie*	→ avec une grande impatience
attraper *quelqu'un*	→ tomber sur quelqu'un
comme du poisson pourri	en l'accablant d'injures
avancer *comme un escargot*	→ très lentement
avancer *comme une tortue*	→ —

bâiller *comme une carpe*	→ en ouvrant largement la bouche
bâiller *comme une huître*	→ —
battre *quelqu'un comme plâtre*	→ avec violence
beugler *comme un âne*	→ crier, hurler
bicher *comme un pou*	→ jubiler, se réjouir
boire *comme une éponge*	→ avec excès
boire *comme un évier*	→ —
boire *comme un grenadier*	→ —
boire *comme un Polonais*	→ —
boire *comme un sonneur*	→ —
boire *comme un Suisse*	→ —
boire *comme un Templier*	→ —
boire *comme un tonneau*	→ —
boire *comme un trou*	→ —

changer *(de quelque chose)*	
comme de chemise	→ changer très facilement

chanter *comme une seringue*	→ faux
connaître *quelqu'un ou*	
quelque chose comme sa poche	→ connaître très bien, à fond
connaître *quelqu'un comme si*	
on l'avait fait	→ très bien, intimement
courir *comme un dératé*	→ très vite
courir *comme un lapin*	→ détaler à toutes jambes
crier *comme un putois*	→ très fort
crier *comme un sourd*	→ —
croire *dur comme fer*	→ avec conviction, sans en démordre
croire *quelque chose comme parole*	
d'évangile	→ sans réserve

détaler *comme un lapin*	→ s'enfuir à toutes jambes
dormir *comme un ange*	→ très profondément
dormir *comme un bienheureux*	→ —
dormir *comme une bûche*	→ —
dormir *comme un loir*	→ —
dormir *comme une marmotte*	→ —
dormir *comme un pieu*	→ —
dormir *comme un plomb*	→ —
dormir *comme un sabot*	→ —
dormir *comme un sonneur*	→ —
dormir *comme une souche*	→ —
dormir *comme une toupie*	→ —

échapper *comme une anguille*	→ être agile et insaisissable
écrire *comme un chat*	→ d'une manière illisible
entrer *quelque part comme*	
dans une écurie	→ entrer sans saluer, de façon impolie
entrer *quelque part comme*	
dans un moulin	→ y entrer à sa guise

faire *quelque chose comme un ange*	→ à la perfection
faire *quelque chose comme un grand*	→ sans l'aide de personne, comme un adulte
faire *quelque chose comme un pied*	→ très mal
faire *quelque chose comme pas un*	→ mieux que quiconque
faire *quelque chose comme personne*	→ —
faire *comme les perdrix*	→ dévoiler son défaut en croyant bien le cacher
faire *tourner (et virer) quelqu'un*	
comme un toton	→ le manipuler, le faire agir comme on veut
filer *comme le vent*	→ très vite
filer *comme un dard*	→ courir, fuir très vite
filer *comme un zèbre*	→ s'enfuir avec une grande rapidité

213

frapper *comme un sourd*	→ très fort
fumer *comme une cheminée (d'usine)*	→ se dit d'une personne qui fume trop
fumer *comme une locomotive*	→ avec excès
fumer *comme un pompier*	→ —

glisser *comme une anguille*	→ être agile et insaisissable
gueuler *comme un âne*	→ crier, hurler

jurer *comme un charretier*	→ grossièrement
jurer *comme un grenadier*	→ beaucoup
jurer *comme un païen*	→ blasphémer, dire de nombreux jurons

laisser tomber *quelqu'un comme une crêpe*	→ l'abandonner brusquement
laisser tomber *quelqu'un ou quelque chose comme une merde*	→ abandonner avec dégoût

manger *comme un chancre*	→ avec voracité
manger *comme un cochon*	→ salement
manger *comme un moineau*	→ très peu
manger *comme un ogre*	→ beaucoup
manger *comme un oiseau*	→ très peu
marcher *comme un canard*	→ en se dandinant
mentir *comme on respire*	→ naturellement et continuellement
mentir *comme un arracheur de dents*	→ —

nager *comme un canard*	→ très bien
nager *comme un chien de plomb*	→ très mal
nager *comme un fer à repasser*	→ ne pas savoir nager

parler *comme un livre*	→ savamment, sagement
parler *comme un moulin*	→ vite et intarissablement
parler *comme un pot cassé*	→ être enroué
parler *français comme une vache espagnole*	→ le parler très mal
partir *comme un pet sur une toile cirée*	→ très vite
passer *comme un éclair*	→ très rapidement
passer *sur quelque chose comme chat sur braise*	→ éviter de s'appesantir
pleurer *comme une fontaine*	→ pleurer toutes ses larmes
pleurer *comme une madeleine*	→
pleurer *comme un veau*	→ sans retenue
pousser *comme un champignon*	→ grandir, se développer rapidement
prêcher *comme un apôtre*	→ convaincre avec talent et persuasion
presser *quelqu'un comme un citron*	→ l'exploiter complètement

raisonner *comme un cheval de carrosse*	⤳ de façon incohérente
raisonner *comme un coffre*	⤳ —
raisonner *comme une femme saoule*	⤳ de manière absurde
raisonner *comme une pantoufle*	⤳ dire n'importe quoi
raisonner *comme un tambour*	⤳ très mal
regarder *quelqu'un comme*	
une bête curieuse	⤳ avec une insistance déplacée
rentrer *comme dans du beurre*	⤳ facilement, sans résistance
repartir *comme en quarante*	⤳ recommencer avec ardeur
repartir *comme en quatorze*	⤳ —
répéter *comme un perroquet*	⤳ sans réfléchir, sans comprendre
rester *planté comme un piquet*	⤳ se tenir debout et immobile
rester *comme une souche*	⤳ demeurer inerte
retomber *comme un chat sur ses pattes*	⤳ se tirer d'affaire dans une situation difficile
retourner *quelqu'un comme une crêpe*	⤳ l'influencer et le faire changer d'opinion
retourner *quelqu'un comme un gant*	⤳ lui faire complètement changer d'avis
rire *comme une baleine*	⤳ en ouvrant la bouche toute grande
rire *comme un bossu*	⤳ à gorge déployée
rire *comme un fou*	⤳ sans pouvoir se contrôler
rire *comme un peigne*	⤳ bêtement, en montrant toutes ses dents
rire *comme une poulie mal graissée*	⤳ de manière criarde
ronfler *comme un orgue*	⤳ très bruyamment
ronfler *comme un sonneur*	⤳ dormir très profondément
ronfler *comme une toupie d'Allemagne*	⤳ bruyamment

saigner *comme un bœuf*	⤳ saigner abondamment
saigner *comme un cochon*	⤳ égorger
s'aplatir *comme une carpette*	⤳ être soumis, bassement flatteur
s'aplatir *comme une crêpe*	⤳ se soumettre lâchement
s'aplatir *comme une punaise*	⤳ —
s'éclater *comme une bête*	⤳ profiter sans retenue
s'en moquer *comme de l'an quarante*	⤳ éprouver une complète indifférence
s'en moquer *comme*	
de sa première chemise	⤳ —
s'en moquer *du tiers comme du quart*	⤳ —
s'en soucier *comme*	
un poisson d'une pomme	⤳ ne s'en soucier aucunement
s'entendre *comme chien et chat*	⤳ se disputer sans cesse
s'entendre *comme larrons en foire*	⤳ très bien s'entendre
se balancer *comme un canard*	⤳ marcher en se dandinant
se battre *comme des chiffonniers*	⤳ avec violence
se battre *comme un jeune coq*	⤳ avec ardeur
se battre *comme un lion*	⤳ courageusement
se conduire *comme en pays conquis*	⤳ avec arrogance

se coucher *comme les poules*	→ très tôt
se démener *comme un beau diable*	→ s'agiter violemment
se disputer *comme des chiffonniers*	→ avec violence
se faire avoir *comme un pigeon*	→ se faire rouler, se faire voler
se glisser *comme une couleuvre*	→ avec souplesse et silence
se laisser *égorger comme des moutons*	→ se laisser exploiter, voler
se sauver *comme un voleur*	→ comme en ayant peur d'être vu et pris
se soucier *de quelque chose,*	
de quelqu'un comme d'une guigne	→ y attacher peu d'importance
se tenir par le cul *comme des hannetons*	→ être inséparables
se tordre *comme une baleine*	→ rire sans retenue
se tordre / se tortiller *comme un ver*	→ se contorsionner
secouer *quelqu'un comme un prunier*	→ vigoureusement, rabrouer
siffler *comme un merle*	→ d'une façon harmonieuse et naturelle
souffler *comme un bœuf*	→ très fort
souffler *comme un cachalot*	→ très bruyamment
souffler *comme une forge*	→ avoir le souffle court, oppressé et fort
souffler *comme un phoque*	→ souffler, respirer bruyamment
souffrir *comme un damné*	→ cruellement, abominablement
souffrir *comme un possédé*	→ atrocement
suivre *quelqu'un comme un caniche*	→ suivre fidèlement
suivre *quelqu'un comme un chien*	→ —

tenir à *quelqu'un ou à quelque chose*	
comme à la prunelle de ses yeux	→ y tenir beaucoup
tomber *comme des mouches*	→ mourir en grand nombre
tomber (sur...) *comme la misère*	
sur le pauvre monde	→ brusquement, de manière désagréable
tomber (sur...) *comme la vérole*	
sur le bas-clergé	→ —
tomber *comme une masse*	→ tout d'un bloc
tourner *comme un écureuil en cage*	→ s'agiter, ne pas rester en place
tourner *comme un ours en cage*	→ marcher de long en large
traiter *quelqu'un comme un chien*	→ très mal
travailler *comme un bénédictin*	→ avec soin et patience
travailler *comme une bête de somme*	→ travailler à des tâches pénibles, en se fatiguant beaucoup
travailler *comme un bœuf*	→ beaucoup, sans montrer de fatigue
travailler *comme une brute*	→ —
travailler *comme un cheval*	→ beaucoup
travailler *comme une fée*	→ être d'une adresse qui semble surnaturelle
travailler *comme un fou*	→ beaucoup
travailler *comme un malade*	→ en se démenant
travailler *comme un mercenaire*	→ beaucoup et dans de mauvaises conditions

travailler *comme un nègre*	→ travailler à des tâches pénibles, en se fatiguant beaucoup
travailler *comme un sabot*	→ très mal
trembler *comme une feuille*	→ beaucoup

vider *quelqu'un comme un lapin*	→ le vider entièrement de ses entrailles
vivre *comme un coq en pâte*	→ être bien soigné, avoir toutes ses aises
vivre *comme un moine*	→ mener une vie ascétique

 MANIÈRES D'ÊTRE, ÉTATS

adroit *comme un singe*	→ très habile manuellement
agile *comme un écureuil*	→ très vif, très rapide
aimable *comme un chardon*	→ très désagréable
aimable *comme une porte de prison*	→ —
amer *comme (du) chicotin*	→ très amer

bavard *comme une pie*	→ très bavard
bête *comme bouton de bottine*	→ complètement idiot
bête *comme une oie*	→ très bête
bête *comme une valise (sans poignée)*	→ totalement inepte
bête *comme un jeune chien*	→ désordonné, folâtre
bête *comme un panier*	→ extrêmement bête
bête *comme ses pieds*	→ très bête
beurré *comme un petit beurre*	→ complètement soûl
blanc *comme neige*	→ totalement innocent
bon *comme le (du) bon pain*	→ qui a bon cœur
bon *comme la romaine*	→ se dit d'un homme trop bon
bourré *comme un œuf*	→ complètement soûl
bourré *comme une valise*	→ —

chargé *comme un baudet*	→ très chargé, embarrassé de paquets
chargé *comme une bourrique*	→ très chargé
chargé *comme une mule*	→ —
chargé *d'argent comme un crapaud de plumes*	→ dépourvu d'argent
chaud *comme une caille*	→ bien au chaud
clair *comme le cristal*	→ évident, d'une clarté parfaite
clair *comme de l'eau de roche*	→ évident, manifeste
clair *comme le jour*	→ évident, certain
con *comme la lune*	→ particulièrement stupide

217

connu *comme le loup blanc*	→ très connu
copains *comme cochons*	→ très amis
creux *comme un radis*	→ ignorant, nul
curieux *comme une fouine*	→ très curieux

doux *comme un agneau*	→ très doux
dur *comme du bois*	→ très dur (emploi concret)
dur *comme fer*	→ très dur (emploi abstrait)
dur *comme du marbre*	→ très dur
dur *comme de la pierre*	→ —

effronté *comme un page*	→ très effronté
ennuyeux *comme la pluie*	→ très ennuyeux
étourdi *comme un hanneton*	→ très étourdi
excité *comme une puce*	→ très excité, agité

fait *comme un rat*	→ pris au piège
fauché *comme les blés*	→ sans argent
ferme *comme un roc*	→ inébranlable (au sens figuré)
fier *comme un âne qui a un bât neuf*	→ stupidement fier
fier *comme Artaban*	→ très fier
fier *comme un coq*	→ —
fier *comme un paon*	→ —
fier *comme un pou*	→ —
fin *comme une dague de plomb*	→ niais, incapable de tromper
fin *comme Gribouille (qui se jette dans l'eau par crainte de la pluie)*	→ sot, naïf
fin *comme du gros sel*	→ grossier, pas très malin
fort *comme un bœuf*	→ très vigoureux
fort *comme un chêne*	→ très robuste
fort *comme un taureau*	→ très fort, viril
fort *comme un Turc*	→ d'une grande vigueur physique
frais *comme un gardon*	→ en pleine forme
frais *comme l'œil*	→ en excellente condition physique
frais *comme une rose*	→ frais et dispos
franc *comme de l'or*	→ très franc, sincère
franc *comme l'osier*	→ très franc

gai *comme un pinson*	→ très gai
gonflé *comme une outre*	→ qui a trop mangé ou trop bu
gracieux *comme un chardon*	→ très désagréable
grand *comme un mouchoir de poche*	→ tout petit, exigu
gris *comme un cordelier*	→ ivre
gros *comme une maison*	→ évident

Gros-Jean *comme devant*	→ frustré d'un avantage espéré
grossier *comme (le, du) pain d'orge*	→ très grossier, en paroles et en actes
gueux *comme un rat*	→ très pauvre
heureux *comme un poisson dans l'eau*	→ très heureux
heureux *comme un pou*	→ —
heureux *comme un roi*	→ —
ignorant *comme une carpe*	→ complètement inculte
imbibé *comme une éponge*	→ qui a excessivement bu
innocent *comme l'agneau / l'enfant*	
qui vient de naître	→ d'une extrême innocence
jaloux *(de quelque chose)*	
comme un gueux de sa besace	→ profondément attaché à cette chose
jalouse *comme une tigresse*	→ très jalouse
léger *comme l'air*	→ très léger
léger *comme une bulle*	→ —
léger *comme une plume*	→ —
libre *comme l'air*	→ complètement libre, sans aucune contrainte
malade *comme une bête*	→ souffrant beaucoup
malade *comme un chien*	→ très malade
malheureux *comme les pierres*	→ très malheureux
malin *comme un bossu*	→ très malin
malin *comme un singe*	→ très malin, rusé
mauvais *comme la gale*	→ irascible, méchant
méchant *comme un âne rouge*	→ très méchant
méchant *comme la gale*	→ irascible, méchant
méchant *comme une teigne*	→ très méchant
menteur *comme un soutien-gorge*	→ menteur éhonté
mou *comme une chiffe*	→ d'un caractère faible et veule
mou *comme une limace / une loche*	→ très mou, sans volonté
muet *comme une carpe*	→ absolument muet, silencieux
muet *comme un francolin pris*	→ absolument muet
muet *comme une tombe*	→ complètement silencieux
net *comme torchette*	→ très propre
orgueilleux *comme un pou*	→ très orgueilleux
paresseux *comme une couleuvre*	→ très paresseux
paresseux *comme un lézard*	→ —

paresseux *comme un loir*	→	—
paresseux *comme une loche*	→	très mou, indolent
pauvre *comme Job*	→	complètement démuni
peureux *comme un lièvre*	→	très peureux
plat *comme la main*	→	sans intérêt, banal
plat *comme une punaise*	→	obséquieux et bas
plein *comme un boudin*	→	complètement soûl
plein *comme une bourrique*	→	—
plein *comme une huître*	→	—
plein *comme un œuf*	→	complètement plein
plein *comme une outre*	→	qui a trop mangé ou trop bu
poli *comme une glace*	→	très poli
poli *comme un caillou*	→	—
poli *comme une râpe*	→	très impoli
pressé *comme un lavement*	→	très pressé

raide *comme un passe-lacet*	→	sans argent
rapide *comme l'éclair*	→	très rapide
rare *comme les beaux jours*	→	très rare
réglé *comme un chronomètre*	→	extrêmement régulier
réglé *comme une horloge*	→	d'une extrême ponctualité
remonté *comme une pendule*	→	très remonté
riche *comme Crésus*	→	extrêmement riche
rond *comme une balle*	→	complètement soûl
rond *comme une barrique*	→	—
rond *comme une bille*	→	—
rond *comme un boudin*	→	—
rond *comme une boule*	→	—
rond *comme une bûche*	→	—
rond *comme un disque*	→	—
rond *comme un œuf*	→	—
rond *comme un petit pois*	→	—
rond *comme une pomme*	→	—
rond *comme une queue de pelle*	→	—
rond *comme un zéro*	→	—

sérieux *comme un âne qu'on étrille*	→	très sérieux
sérieux *comme un pape*	→	—
serrés *comme des harengs en caque*	→	très serrés
serrés *comme des sardines (en boîte)*	→	—
simple *comme bonjour*	→	extrêmement simple
sobre *comme un chameau*	→	très sobre
soûl *comme un âne*	→	complètement soûl
soûl *comme une bourrique*	→	—

soûl *comme un cochon*	→	—
soûl *comme une grive*	→	—
soûl *comme un Polonais*	→	—
soûl *comme une tique*	→	—
souple *comme un gant*	→	docile, accommodant
sourd *comme une pioche*	→	complètement sourd
sourd *comme un pot*	→	—
solide *comme un roc*	→	très robuste

tranquille *comme Baptiste*	→	très tranquille
têtu *comme une bourrique*	→	qui montre un entêtement obtus
têtu *comme une mule*	→	très têtu
traité *comme un pape / un roi*	→	reçu royalement
triste *comme un bonnet de nuit*	→	ennuyeux, triste
triste *comme un lendemain de fête*	→	—

vif *comme un écureuil*	→	très vif, rapide
vif *comme une portée de souris*	→	très vif, remuant
vif *comme la poudre*	→	très vif
vieux *comme Hérode*	→	très vieux, très ancien
vilain *comme lard jaune*	→	très avare
volé *comme dans un bois*		
(*comme au coin d'un bois*)	→	véritablement et complètement volé

ASPECT PHYSIQUE

bâti *comme quatre sous*	→	fait sans soin
beau *comme un astre*	→	très beau
beau *comme un camion*	→	— (ironique)
beau *comme un chérubin*	→	d'une beauté enfantine
beau *comme un dieu*	→	très beau
blanc *comme un cachet d'aspirine*	→	d'un teint très pâle
blanc *comme un cadavre*	→	—
blanc *comme un drap*	→	—
blanc *comme un lavabo*	→	—
blanc *comme un linge*	→	—
blanc *comme un mort*	→	—
blond *comme les blés*	→	de cheveux d'un blond très clair
bronzé *comme un cachet d'aspirine*	→	d'une peau très blanche
bronzé *comme un petit-suisse*	→	—

221

chauve *comme une boule de billard*	→ complètement chauve
chauve *comme un genou*	→ —
chauve *comme un œuf*	→ —

droit *comme un cierge*	→ droit, très raide
droit *comme une faucille*	→ tordu
droit *comme un i*	→ très droit
droit *comme un jonc*	→ —
droit *comme un piquet*	→ droit et raide

ficelé *comme un sac*	→ mal habillé
ficelé *comme un saucisson*	→ trop serré dans ses vêtements

grand *comme un four*	→ se dit surtout d'une grande bouche
gras *comme un chanoine*	→ très gras
gras *comme un chantre*	→ —
gras *comme un moine*	→ —
gros *comme une barrique*	→ très gros
gros *comme une vache*	→ —

haut *comme une (ma) botte*	→ très petit
haut *comme trois pommes*	→ —

jaune *comme un cierge*	→ de teint très jaune
jaune *comme un citron*	→ —
jaune *comme un coing*	→ —
joli *comme un chérubin*	→ d'une beauté enfantine
joli *comme un cœur*	→ d'une manière charmante, attendrissante

laid *comme un crapaud*	→ très laid
laid *comme les sept péchés capitaux*	→ —
laid *comme un pou*	→ —
laid *comme un singe*	→ —
long *comme un carême*	→ grand et maigre

maigre *comme un cent de clous*	→ très maigre
maigre *comme un clou*	→ —
maigre *comme un coucou*	→ —
maigre *comme un échalas*	→ très maigre et grand
maigre *comme un hareng saur*	→ très maigre
myope *comme une taupe*	→ très myope

noir *comme l'ébène*	→ d'un noir intense et brillant
noir *comme l'encre*	→ très noir

noir *comme du jais*	→ d'un noir profond et brillant
noir *comme poivre*	→ très noir
noir *comme de la suie*	→ —
noir *comme une taupe*	→ tout noir
nu *comme la main*	→ complètement nu
nu *comme un ver*	→ —

plat *comme une galette*	→ très maigre
plat *comme une limande*	→ —
plat *comme une planche à pain*	→ —
plat *comme une sole*	→ —
puissant *comme un taureau*	→ très puissant, viril

raide *comme la justice*	→ très raide, guindé
raide *comme un échalas*	→ très raide, maigre
ridé *comme une vieille pomme*	→ très ridé
rouge *comme une cerise*	→ rouge de confusion, de plaisir
rouge *comme un coq*	→ très rouge
rouge *comme un coquelicot*	→ —
rouge *comme une écrevisse*	→ —
rouge *comme un homard*	→ —
rouge *comme une pivoine*	→ très rouge, par honte, timidité, émotion
rouge *comme une pomme d'api*	→ très rouge
rouge *comme une tomate*	→ —

sale *comme un cochon*	→ très sale
sale *comme un pou*	→ —
sale *comme un pourceau*	→ —
sec *comme un échalas*	→ très maigre et grand
sec *comme un hareng saur*	→ très maigre
solide *comme un chêne*	→ très robuste
solide *comme un roc*	→ —

trempé *comme un canard*	→ complètement mouillé
trempé *comme une soupe*	→ —

D'AUTRES MOTS POUR LE DIRE

Même si la mode n'est plus, comme au temps des Précieuses, à forger des périphrases à chaque instant, il n'en reste pas moins que notre langue regorge
de périphrases très connues, mais qu'on a parfois du mal à associer à l'être ou
l'objet qu'elles désignent.
En voici quelques-unes, parmi les plus employées :

▌ VILLES, RÉGIONS, PAYS

La capitale des Gaules	→ Lyon
La cité des Doges	→ Venise
La cité des Papes	→ Avignon
La Cité interdite	→ Pékin
La cité phocéenne	→ Marseille
La Venise du Nord	→ Amsterdam
La Ville éternelle	→ Rome
La Ville rose	→ Toulouse
La Ville sainte	→ Jérusalem
La Ville lumière	→ Paris
L'empire du Milieu / Le Céleste Empire	→ la Chine
L'île de Beauté	→ la Corse
La fille aînée de l'Église	→ la France
La Perfide Albion	→ l'Angleterre
La terre des dieux	→ la Grèce
La terre des pharaons	→ l'Égypte
La Terre promise	→ Israël
La Terre sainte	→ la Palestine
Le pays aux mille lacs	→ la Finlande
L'empire du Soleil-Levant	→ le Japon
Le toit du monde	→ l'Himalaya
Le ventre mou de l'Europe	→ les Balkans
Les bords sacrés où naît l'aurore	→ l'Est
La grande Bleue	→ la Méditerranée
La mer de Glace	→ le grand glacier des Alpes françaises
La mer de sable	→ le désert
Le Nouveau Monde	→ l'Amérique
La Sublime Porte	→ la Turquie

▌ LA NATURE

L'astre du jour	→ le Soleil
L'astre de la nuit	→ la Lune

L'étoile du soir, du matin, du berger	→ la planète Vénus
Le feu du ciel	→ la foudre
La fille de l'air	→ la mouche
La fille du ciel	→ l'abeille
La fille du limon	→ la grenouille
Les filles de la nuit	→ les étoiles
La grande tasse	→ la mer
Les larmes, pleurs, présents de l'aurore	→ la rosée du matin
L'oiseau d'Athéna	→ la chouette
L'oiseau de Junon	→ le paon
L'oiseau de Jupiter, le roi des oiseaux	→ l'aigle
L'oiseau des tempêtes	→ le goéland
L'oiseau de Vénus	→ la colombe
L'or noir	→ le pétrole
La planète bleue	→ la Terre
Le roi des animaux	→ le lion

◼ HOMMES ET FEMMES CÉLÈBRES

L'Aigle de Meaux	→ Bossuet
L'Ami du peuple	→ Marat
L'empereur à la barbe fleurie	→ Charlemagne
L'homme du 18 juin	→ le général De Gaulle
L'Incorruptible	→ Robespierre
La pucelle d'Orléans	→ Jeanne d'Arc
Le cantor de Leipzig	→ J.-S. Bach
Le chevalier sans peur et sans reproche	→ Bayard
Le cygne de Cambrai	→ Fénelon
Le cygne de Mantoue	→ Virgile
Le divin marquis	→ Sade
Le grand timonier	→ Mao-Tsé-Toung
Le maire de Bordeaux	→ Montaigne
Le père du cinéma	→ Louis Lumière
Le Père la Victoire	→ Clemenceau
Le Petit Caporal	→ Napoléon Bonaparte
Le petit père des peuples	→ Staline
Le prince des poètes	→ Verlaine
Le prince des sonnettistes	→ Heredia
Le renard du désert	→ Rommel
Le Roi-Soleil	→ Louis XIV
Le taureau du Vaucluse	→ E. Herriot

HISTOIRE

L'Armée des ombres	→ la Résistance pendant la Seconde Guerre mondiale
L'Armée rouge	→ l'armée soviétique
La Belle Époque	→ les années 1900
Les deux Grands	→ les États-Unis et l'ex-U.R.S.S.
La drôle de guerre	→ 1939-1940 en France
La Grande Guerre	→ la guerre de 14-18
Les Grands	→ les grandes puissances
Le Grand Siècle	→ le XVIIe siècle français
Le siècle de Périclès	→ Ve siècle av. J.-C. en Grèce
Le Siècle d'or	→ XVIe siècle espagnol
Le siècle des Lumières	→ le XVIIIe siècle français
Les trente glorieuses	→ la forte croissance économique entre 1945 et 1975
Les Trois Glorieuses	→ 27-28-29 juillet 1830

LA RELIGION

L'assemblée des saints	→ le paradis
Le Bon Pasteur / le Rédempteur / le roi des Juifs	→ Jésus
La cité de Dieu	→ l'Église
Le Divin Maître / L'Éternel / Le Très-Haut L'Être suprême / Le Père éternel / Le Tout-Puissant	→ Dieu
La Grande Faucheuse	→ la mort
Le fils de l'Homme / Le fils de Dieu	→ Jésus
La Dame du Ciel / La mère de Dieu	→ la Vierge Marie
Le Démon / Le Malin / Le prince des démons / Le prince des ténèbres	→ le diable
Les Armées célestes	→ les anges
La maison du Père	→ le Ciel, le paradis
Le peuple élu	→ les Juifs
Les princes de l'Église	→ les cardinaux, évêques et archevêques
Le prince des apôtres	→ saint Pierre
Le royaume de Dieu / La nuit éternelle	→ la mort
Le royaume des morts	→ les Enfers
Les Saintes Écritures / Le texte sacré	→ la Bible
Le souverain pontife / Le Saint-Père	→ le Pape

■ LA SOCIÉTÉ

Le sexe fort	→ l'homme
Le sexe faible / Le beau sexe /	
Le deuxième sexe	→ la femme
La fille aînée des rois de France	→ l'Université
La fille d'Ève	→ la femme
La force publique / Les forces de l'ordre	→ la police
La grande muette	→ l'armée
Le Deuxième Bureau	→ les services de renseignements
Le grand argentier	→ le ministre des Finances
La première dame	→ la femme du chef de l'État
L'Élysée, le palais de l'Élysée	→ la présidence de la République
L'hôtel Matignon, Matignon	→ les services du Premier ministre
La place Beauveau	→ le ministère de l'Intérieur
La rue de Valois	→ le ministère de la Culture
Le 36 (quai des Orfèvres)	→ les bureaux de la police judiciaire
Le Palais-Bourbon	→ l'Assemblée nationale
Le Palais Brogniart	→ la Bourse
Le palais du Luxembourg	→ le Sénat
Le Quai d'Orsay	→ le ministère des Affaires étrangères
La Maison Blanche	→ la présidence des États-Unis
Le quatrième pouvoir	→ la presse
Le septième art	→ le cinéma
Le huitième art	→ la télévision
Le neuvième art	→ la bande dessinée
La vieille dame du quai Conti	→ l'Académie française

LES JEUX AVEC LES MOTS

> « Je me demande si je ne suis pas en train de jouer avec les mots.
> Et si les mots étaient faits pour ça ? »
> (Boris VIAN, *Les Bâtisseurs d'empire*)

Jouer avec les lettres (le signifiant graphique)

LE BOUSTROPHÉDON

Le boustrophédon est un jeu qui consiste à transcrire graphiquement les mots de droite à gauche, et non pas de gauche à droite comme on le fait en français.

Il en résulte un langage cocasse aux allures de code secret :
kcirtaP (Patrick), *ellieriM* (Mireille).
itrap tse lI (Il est parti).

LE PALINDROME

Un palindrome est un mot, ou un groupe de mots, qui se lit aussi bien de gauche à droite que de droite à gauche.

C'est le cas de nombreux mots :
radar, gag, été, kayak, ressasser, non...
Ou encore :
– de noms de villes comme *Laval, Noyon, Sées*
– de prénoms comme *Eve, Ava, Anna*
– de phrases entières comme
Car tel Ali il a le trac.
Élu par cette crapule.
Engage le jeu que je le gagne.
Ésope reste ici et se repose.
Et la marine va, papa, venir à Malte.
La mariée ira mal.
« Oh ! Cela te perd », répéta l'écho.
Sète sonne en nos étés.
Un drôle de lord nu.

N.B. : Dans un palindrome, on ne tient compte ni des accents, ni des découpages en syllabes, ni de la ponctuation.

■ **Il existe une variante du palindrome, parfois appelée anacyclique.**
Il s'agit d'un mot qui, selon qu'on le lit de gauche à droite ou de droite à gauche, fournit deux mots différents.
cal → *lac*   *roc* → *cor*   *un* → *nu*   *dent* → *tend*   *élever* → *révélé*

L'ANAGRAMME

Une anagramme consiste à modifier l'ordre des lettres dans un mot pour en changer le sens.

rien → *nier, aigle* → *agile, grenat* → *argent, gardienne* → *grenadine*
Les prénoms se prêtent aussi fort bien à ce jeu :
   Laurent → *naturel*
   Marie → *aimer*
   Lio → *loi*

Ou encore ce vers de Robert Desnos qui joue sur les anagrammes des mots « crâne » et « étoile » :
   *Ô mon **crâne**, étoile de **nacre** qui s'étiole.*
                              (R. Desnos, « Rrose Sélavy », *Corps et Biens*)

■ **Les pseudonymes d'auteurs célèbres,** fondés sur le principe de l'anagramme, ont toujours connu un grand succès :
   François Rabelais → *Alcofribas Nasier*
   Paul Verlaine → *Pauvre Lélian*
   Boris Vian → *Bison Ravi*
   Raymond Queneau → *Rauque Anonyme*
   Pierre de Ronsard → *Rose de Pindare*

Certains y ont même vu un moyen élégant de régler leurs comptes entre « amis ». C'est ainsi que :
   Proust est devenu *Pur sot*
   Vincent Auriol, *Voilà un crétin*
   Salvador Dali, *Avida Dollars !*

L'ACROSTICHE

Un acrostiche est un poème dont on peut lire le thème, mais plus souvent le nom de l'auteur ou de celui à qui il est dédié, dans un mot formé des initiales de chaque vers.

Dans cette ballade de François Villon, les premières lettres des six premiers vers lues verticalement forment le nom de l'auteur* :
   ***V**ous portâtes, douce Vierge, princesse,*
   ***I**ésus régnant, qui n'a ni fin ni cesse :*
   ***L**e Tout-Puissant, prenant notre faiblesse,*
   ***L**aissa les cieux et nous vint secourir,*
   ***O**ffrit à mort sa très chère jeunesse ;*
   ***N**otre-Seigneur tel est, tel le confesse :*
   En cette foi je veux vivre et mourir.
                        (François Villon, *Ballade pour prier Notre-Dame*)
*Le J était écrit I à cette époque.

Ou encore ces trois vers d'Apollinaire dans lesquels on voit se dessiner le nom de Lou, aimée du poète :

⌐ *a nuit descend*

○ *n y pressent*

⊏ *n long destin de sang.*

LE CALLIGRAMME

Le calligramme consiste à agencer le texte de façon à dessiner approximativement l'objet évoqué.

(Guillaume APOLLINAIRE, « La Colombe poignardée et le jet d'eau », *Calligrammes*, © Éditions Gallimard)

LE LIPOGRAMME

Le lipogramme est un texte en vers ou en prose dans lequel l'auteur s'est imposé de ne pas faire figurer une certaine lettre déterminée à l'avance.

Dans *La Disparition*, Georges Perec a pris le parti de ne pas faire figurer la lettre E, pourtant la plus employée de la langue française.

Voici les premières lignes de ce texte surprenant :

Trois cardinaux, un rabbin, un amiral franc-maçon, un trio d'insignifiants politicards soumis au bon plaisir d'un trust anglo-saxon, ont fait savoir à la population par radio, puis par placards, qu'on risquait la mort par inanition.

Dans le lipogramme suivant, de Raymond Queneau, ce sont les lettres A et E qui ont été évitées :

Ondoyons un poupon, dit Orgon, fils d'Ubu. Bouffons choux, bijoux, poux, puis du mou, du confit, buvons non point un grog : un punch. Il but du vin itou, du rhum, du whisky, du coco, puis il dormit sur un roc.

(OULIPO, *La Littérature potentielle*, Gallimard)

■ **Il existe une variante du lipogramme, qui consiste à n'employer qu'une seule et même voyelle dans tous les mots.**

C'est encore Georges Perec qui se livre à ce tour de force dans *Les Revenentes*, où la seule voyelle « autorisée » est le E :

Telles des chèvres en détresse, sept Mercedes-Benz vertes, les fenêtres crêpées de reps greige, descendent lentement West End Street vers les vertes venelles semées de hêtres et de frênes près desquelles se dresse, celte et empesé en même temps, l'Évêché d'Exeter.

(*Les Revenentes*, Éd. Julliard)

Jouer sur les sonorités (le signifiant phonique)

LES LETTRES ÉPELÉES

Le jeu des lettres épelées consiste à transcrire par des lettres en capitales certaines syllabes de mots :

Sa vue ABC (a baissé)
Un roman de KPDP (cape et d'épée)
LN (Hélène) *a de grands IDO* (idéaux)

Plusieurs écrivains se sont prêtés à ce jeu :

Trop longtemps il nous RST (est resté)
Debout comme une DIT (déité)
Vieillard que le temps AKC... (a cassé)

(Victor HUGO)

Je vois les pan C
Je vois les crânes KC
Je vois les mains DCD
Je les M
Je vois les pensées BC et les femmes MÉ
et les poumons qui en ont AC de l'RLO
poumons noyés des ponts NMI.

(Robert Desnos, *Corps et Biens*)

AID KN N E O PI DIN E LIA ÉT LV.
(Haydée Cahen est née au pays des hyènes et elle y a été élevée.)

(Alphonse Allais)

LE TAUTOGRAMME

Un vers ou une phrase tautogramme sont composés de mots commençant tous par la même lettre :

Triste, transi, tout terni, tout tremblant,
Sombre, songeant, sans sûre soutenance,
Dur d'esprit, dénué d'espérance,...

(cité par Deloffre dans *Le Vers français*)

■ Il existe une variante moins stricte du tautogramme qui consiste à répéter, à l'intérieur d'un vers ou d'une phrase, un son-consonne ; c'est **l'allitération** :

Les chaussettes de l'archiduchesse sont-elles sèches ?
Un chasseur sachant chasser doit savoir chasser sans son chien.
Didon dîna, dit-on, du dos d'un dodu dindon.

Jouer sur les sonorités et le sens (le signifiant et le signifié)

LE CALEMBOUR

Le calembour est un jeu de mots fondé sur l'homonymie (mots qui se prononcent de la même façon, mais différents par le sens) et la polysémie (mot ayant plusieurs sens).

Le calembour s'applique à des expressions figées, bien connues ou à des situations que le contexte permet de décoder :

*Il n'y a que la vérité qui **baisse**.*
*Jamais deux sans **toi**.*
*Le **vieux** est l'ennemi du bien.*

(Robert Galisson, *Le Distractionnaire*)

Selon Victor Hugo, le calembour est « la fiente de l'esprit qui vole ».
Ce qui ne l'a pas empêché d'écrire :
*Dis-moi qui tu fréquentes et je te dirai qui tu **hais**.* (qui tu es)

■ **Il existe différentes manières de produire des calembours :**

▬ **On peut substituer un son (ou une suite de sons) à un autre.**
On obtient alors un mot (ou un groupe de mots) nouveau :
Avoir le cou tôt sous la gorge. (pour le « couteau »)
Boire du petit laid. (pour « petit lait »)
Chercher l'appétit bête. (pour « la petite bête »)

(Robert GALISSON, *Le Distractionnaire*)

▬ **On peut remplacer un mot par un mot homophone,** c'est-à-dire par un mot qui se prononce de la même façon mais qui s'écrit différemment :
Entre deux mots, il faut choisir le moindre, dit Paul Valéry, s'inspirant de « entre deux maux, il faut choisir le moindre ».

▬ **On peut découper une suite de sons de façon différente,** c'est-à-dire élargir l'homophonie à tout un groupe de mots.
C'est le cas par exemple des **vers holorimes**. Ce sont deux vers qui riment entièrement, le second reproduisant phonétiquement le premier :
Gal, amant de la reine, alla, tour magnanime
Galamment de l'arène à la Tour Magne, à Nîmes. (Victor HUGO)

Aidé, j'adhère au quai. Lâche et rond, je m'ébats
Et déjà, des roquets lâchés rongent mes bas. (Alphonse ALLAIS)

▬ **On peut jouer sur la polysémie d'un mot.**
Notamment sur le sens propre et le sens figuré :
Les miroirs feraient bien de réfléchir un peu avant de renvoyer les images.
(Jean COCTEAU, *Le Sang d'un poète*)

J'ai eu la faiblesse de montrer des signes extérieurs de richesse alors que ma richesse est toute intérieure !
(Raymond DEVOS)

Il aime les femmes distantes, mais de près.
(Jean GIRAUDOUX, *La guerre de Troie n'aura pas lieu*)

LA CONTREPÈTERIE

La contrepèterie consiste à écrire une phrase qui, si l'on permute au moins deux des lettres ou des syllabes qui la composent, produit une autre phrase de sens différent et si possible coquin, voire obscène.

En voici quelques-unes (au lecteur d'exercer sa sagacité) :

C'est un ministre décent.

La cuvette est pleine de bouillon.

C'est long comme lacune.

Quel champ de coton !

Parlons mes frères de Calvaire et de lutins.

Le tailleur est submergé par les amas de patentes.

Courbe-*toi, vieux* **Sicambre** *!*

Robert Desnos s'est largement essayé à cet exercice :

– Le mépris des chansons ouvre la prison des méchants.

– Le plaisir des morts, c'est de moisir à plat.

– Les caresses de demain nous révéleront-elles le carmin des déesses ?

– Aimable souvent est sable mouvant.

Ainsi que Prévert :

Les jeux de la Foi ne sont que des cendres auprès des feux de la Joie.

(Jacques PRÉVERT, *Spectacle*)

Vers un nouveau langage

LES MOTS FORGÉS

Un mot forgé est un mot nouveau (néologisme) dont le signifiant est inventé par l'auteur.

Le décodage est rendu possible par une ressemblance de forme ou de sens avec un mot connu ou par le contexte comme dans cet extrait de Henri Michaux :

Il l'emparouille et l'endosque contre terre ;

Il le rague et le roupète jusqu'à son drâle ;

Il le pratèle et le libucque et lui barufle les ouillais...

LES MOTS-VALISES

Un mot-valise est un mot nouveau qui est formé par l'amalgame de deux autres mots existants.

Le mot créé emprunte à la fois au sens de l'un et de l'autre de ces deux mots, comme dans ces mots entrés récemment dans notre vocabulaire :

motel (de l'anglais *motor*, automobile et *hôtel*)

progiciel (de *programme* et *logiciel*)

tapuscrit (de *taper* et *manuscrit*)...

La création de mots-valises permet un nombre illimité de combinaisons, ce qui ne peut manquer de séduire les écrivains et les passionnés de jeux de langage :

éléphantôme : *pachyderme serviable qui se recouvre d'un long drap blanc pour effrayer l'un de ses compagnons ou le guérir de son hoquet.*

épiscolaire : *se dit d'un échange de lettres d'amour dans lequel les correspondants recopient les modèles appris de professeurs de français et d'éducation sexuelle.*

esperler : *transpirer d'attente.*

(Alain FINKELKRAUT, *Le Petit Fictionnaire illustré*)

chérisson : *être dont on aime le charme piquant.*

complimensonge : *flatterie.*

homéopatrie : *médecine militaire.*

milichien : *chien policier.*

primaturé : *singe né avant terme.*

(R. GALISSON, L. PORCHER, *Le Distractionnaire*)

Des définitions pas comme les autres

Des mots nouveaux aux nouveaux dictionnaires, il n'y a qu'un pas que franchissent régulièrement les amoureux de l'esprit et des mots.
Voici quelques articles qui donneront un éclairage différent à tel ou tel point traité dans le présent ouvrage.

DICTIONNAIRE – En dire : « *N'est fait que pour les ignorants* ».

ÉTYMOLOGIE – Rien de plus facile à trouver avec le latin et un peu de réflexion.

IMAGES – Il y en a toujours trop dans la poésie.

MÉTAPHORES – Il y en a toujours trop dans le style.

NÉOLOGISME – La perte de la langue française.

(Gustave FLAUBERT, *Dictionnaire des idées reçues*)

HYPERBOLE – Dans l'instrument parfois, plus que dans l'objet. Ainsi en Perse, en Égypte, on voit circuler des pétitions et des suppliques écrites avec le sang de leurs signataires.

PLÉONASMES – Un administrateur hypocrite. – Une femme insatisfaite. – Un garagiste malhonnête. – Un mari égoïste. – Un stupide accident...

SYNONYMES – Il n'existe qu'un mot en russe pour dire malheureux et criminel, crime et délit. En français : les Misérables.

(Jean GRENIER, *Lexique*)

ZEUGMA n.m. (mot grec signifiant réunion). Procédé tordu qui consiste à rattacher grammaticalement deux ou plusieurs noms à un adjectif ou à un verbe qui, logiquement, ne se rapporte qu'à l'un des noms. Suis-je clair ? Non ? Bon.

Exemple de zeugma : « *En achevant ces mots, Damoclès tira de sa poitrine un soupir et de sa redingote une enveloppe jaune et salie* » *(André Gide). C'était un zeugma [...]*

(Pierre DESPROGES, *Dictionnaire superflu à l'usage de l'élite et des bien nantis*)

ANNEXES

INDEX DES NOTIONS

INDEX DES MOTS ET EXPRESSIONS CITÉS

B

D

■

Conception graphique : ESPERLUETTE

Couverture : Patrice CAUMON

Coordination artistique : Thierry MÉLÉARD

Fabrication : Jacques LANNOY

N° projet 10028571 (II) 90 CSP 90° Mai 1995 - Dorly
Imprimé en Italie par G. Canale & C. S.p.A. - Borgaro T.se (Turin)